Generative AI

ChatGPT
Stable Diffusion
Midjourney
Gen-1
Control Net

Bing
Bard
DALL-E
note
Notion

Make-A-Video
Imagen Video
DreamFusion
CREEVO
SOUNDDAW

Jasper
Catchy
Sendsteps
HUMATA
SCISPACE

Jasper
Catchy
Sendstep
HUMATA
SCISPAC

生成AI

社会を激変させるAIの創造力

白辺 陽

SB Creative

はじめに

ごく最近まで、ＡＩ（人工知能）は子どもだましのレベルだと思われていました。

確かにチェスや将棋の世界ではＡＩが強いかもしれない。顔認識の技術はすごいかもしれない。しかし、そういう専門分野でのＡＩは、人間が事前にプログラムしているから力を発揮できるのであって、人工知能と呼べるほどの汎用的な能力を持っていないじゃないか。

このように感じている人が多かったですし、事実、少し前まではその通りの状況だったのです。

しかし、２０２２年頃から驚くべきＡＩサービスが次々に誕生しています。

まるで知能を持っているかのように、人間と自然な言葉で対話を行い、人間が質問したことに対して的確な回答を返してくれるのです。**ChatGPT**や、**Bing AIチャット**という名前で提供されているこれらのＡＩを、ニュース等で見かけたり、実際に試したりしたことがあるかもしれません。人間が裏にいるのではないかと思えるほど自然に文章での受け答えができるので、世界中で急速に注目されています。

既にこれらのＡＩが、米国の模擬司法試験を上位で合格する結果を出したり[注1]、米国の医師免許試験の合格点にほぼ達するような結果を出したりしたことが報告されています[注2]。

また、美しい絵を自由自在に描いてくれるＡＩも同時期に登場しました。**Stable diffusion**、**Midjourney**といったＡＩです。「こんな絵を描きたい」と文章で指示するだけで、期待以上の素晴らしい作品を作ってくれるのです。

人間が参加するアートコンテストで、画像生成ＡＩが生成した絵が１位を取るといったことまで起きています[注3]。

このＡＩの素晴らしいところは、たった１行から数行程度の短い文章で指示するだけ

（注１）https://openai.com/research/gpt-4
（注２）https://www.sciencealert.com/chatgpt-can-almost-pass-the-us-medical-licensing-exam
（注３）https://www.itmedia.co.jp/news/articles/2209/01/news148.html

で、意図に沿った画像を瞬時に生成してくれることです。

これまでのＡＩは、チェスや将棋のように、膨大にある選択肢の中から最適な方法を選ぶことや、顔認識のように、複雑で大量のデータの中からあるパターンを認識するということを得意としていました。

一方で、最近登場した新しいＡＩでは、事前に膨大な量の情報を学習した上で、利用者の指示を受けて**新たなコンテンツ**を生成するのです。

このようなＡＩを、何かを「生成する」ＡＩとして、**生成ＡＩ**（Generative AI）と呼びます。

生成ＡＩが社会に与える影響

生成ＡＩの能力が一気に高まったことは喜ばしいことではありますが、一方で私たちの仕事がＡＩに代替されて、**仕事が奪われてしまう**のではないかという懸念も広がってい

画像生成AIのMidjourneyが、「Generative AI」というテーマで描いた絵

Midjourneyにより生成

ます。

ＡＩ研究の第一人者である松尾豊教授も、以前はＡＩの技術水準を考えると人間の仕事が奪われるわけはないと言っていましたが、生成ＡＩの急速な進展を見て、「いやいや今度は本当に奪われますよ」と話しています。[注4]

それほど、予想もしていなかった革新が、今起こっているのです。

生成ＡＩは、これから**「破壊的イノベーション」**を引き起こすことになるでしょう。「破壊的」と聞くと、不穏な印象を抱く人や懐疑的な目を向ける人も中にはいるかもしれませんが、こういったイノベー

（注4）https://gendai.media/articles/-/107429

ションは、何も生成ＡＩのみが引き起こしてきたものではありません。

実際のところ、これまでにも、数多くの破壊的イノベーションが起こってきました。初めのうちは「ちょっと面白いサービスが出たぞ」、「なかなか便利なサービスだな」と思っていたものが、いつのまにか業界構造や社会の価値観を含めて、大きな変化となっていったのです。


例えば、スマートフォンがそうでした。２００７年に世界で最初のスマートフォンである**iPhone**が発表されたときに、多くの人は「先進的で面白そうな端末が出たぞ」くらいにしか認識をしていなかったでしょう。

しかし、その後またたく間にスマートフォンが普及し、社会の仕組みを激変させました。次は起こった変化の例です。

- それまで電車内の暇つぶしに**新聞や雑誌**を購入していた人のほとんどは、スマートフォンに移行しました。雑誌の売上に依存していた書店の多くが、閉店することになりました。
- テレビ等で広い層に向けた**広告**の重要度が下がり、代わりにネット広告が主流になりました。

・スマートフォンのアプリストアで**ゲーム**が配信されるようになり、ベンチャー企業や個人開発者も能力次第で十分に稼げるようになり、ゲーム業界の構造が一変しました。

・写真はスマートフォンで撮ることが一般的になり、**デジカメ**を買う人がかなり少なくなりました。

・**音楽**は、もともとＣＤやＤＶＤ等の物理メディアからｍｐ３等のデータをダウンロードする形へと移行しつつありましたが、スマートフォンの登場によりダウンロードでの利用が加速し、さらに定額制のサブスクリプションで聞くことが主流となりました。

他にも、様々な業界がスマートフォンの多大な影響を受けているでしょう。

既存の産業を破壊し、そして新たな産業を生み出す。それが、破壊的イノベーションの本質です。

これと同じようなことが、生成ＡＩでも起きるでしょう。

ぱっと見ただけでは、おもちゃのような遊び要素が大きいため、一過性のブームと捉える人もいるかもしれません。

しかし、この技術は、**猫の皮をかぶった虎**です。かわいらしい猫だと思って親しんでいるうちに、様々なビジネス活用方法が見いだされ、気づいたときには多数の業界が大きく様変わりしている。つまり、虎の持つような強い力を秘めているのです。

例えば、私たちが働いているオフィスの日常風景も変わるでしょう。人間が簡単な指示をすれば、ビジネス文書やプレゼン資料を自動作成してくれるので、その結果を確認すればよくなっていきます。

また、**アシスタントＡＩ**のような機能が進化して、個人の興味や生活情報等を把握した上で、的確なアドバイスやオススメ情報を教えてくれるようになるでしょう。

多くの人がこの新しく便利な生成ＡＩを利用するようになると、**仕事に求められる能力が変わってきます**。文章を執筆する仕事、画像を作成する仕事はもちろんのこと、専門的な知識をもとに助言するような仕事も含めて、これまでと同じスタイルでは仕事が成立しなくなるのです。

多くの業界が、この破壊的イノベーションの大波を受けるでしょう。そして、**この大**

波に早くから立ち向かった者が、次の成功をつかむのです。

本書の構成

本書は、読者の方々が**生成ＡＩの潜在能力の大きさを実感し、今後の社会変化に先手を打って対応できること**を目指して執筆しました。

まずは、生成ＡＩの基本的な内容として、現時点でどのようなことが実現できるようになっていて、どのような点が優れているのかを多くの具体例を挙げて解説します。

生成ＡＩの仕組みについても、随所で分かりやすい解説を入れています。生成ＡＩについて技術的に理解するためには専門的な知識が必要になってしまいますが、本書では専門家でない方でも動作原理のイメージが理解できるように、日常的なたとえを交えて説明します。

そして、将来どのような変化が予想されるかという点についても、力を入れて説明します。将来変化を予見させる注目すべき事例を厳選して紹介し、その上で、筆者の考察をまとめています。

本書の章構成

本書の前半（第1章、第2章）では、生成ＡＩの**具体的な姿**について、サービス実例も紹介しながら、その特徴や活用事例について説明します。

現時点で英語圏でしか提供されていないサービスも紹介しています。こんなことまでできるようになっているのかと、多くの方が驚くに違いありません。

第3章では、生成ＡＩが**引き起こす問題**について論じます。生成ＡＩを使って作成した画像は、いったい誰が著作権を持つのでしょうか。新しいサービスの出現に対してルールが追い付いていない部分もありますが、現時点での基本的な考え方を解説します。

また、その他にもフェイクニュースが乱発されかねないこと、人間能力の審査が困難になること、犯罪が誘発されること、人の仕事が奪われることなど、様々な懸念事項について現状での考え方や対策状況について説明し、今後どのように解決に向かうかを予測します。

第4章では、現時点で報道されている多方面のニュースを踏まえて、**今後の社会変化と来るであろう未来**を予想します。

現時点で、ここまで具体的に社会変化を予想したレポートは他に存在しないでしょう。しかし、ここに書いていることは筆者のただの夢想ではありません。これまでの技術発展の経緯や、これまでの社会変化の実績も踏まえ、現実的に起こるであろう変化を分析した上で予想としてまとめています。

生成ＡＩが特に変革を引き起こす分野として、検索エンジン、広告、クリエイター、オフィス業務というテーマを設定して、それぞれ筆者自身の考えを論じました。

第5章では、生成ＡＩがもたらす**新しい我々の暮らし**についてまとめます。

教育環境の変化、個人の働き方の変化を含めて、私たちの未来がどのように変わるかについて総括しました。

読者の方々にとっても、これから社会がどう変化するのか、そして自分自身がどう行動すべきかということが最も関心があるテーマでしょう。生成ＡＩを巡る状況（第3章まで）をご理解いただいた上で、第4章、第5章をゆっくりと読みながら、自身に当てはめて考えをまとめてみてください。

Chapter

2

次々に登場する実用的なサービス ―― 85

Chapter 3

生成AIがはらむ問題 —— 143

Chapter

4

無限の可能性を予測する ―― 199

Chapter

5 生成AIがもたらす未来

1

生成AIの萌芽

1955年にに開催されたダートマス会議[注1]という場で、**人工知能**（Artificial Intelligence）、すなわち**AI**という言葉が初めて使われました。ダートマス大学のジョン・マッカーシーが主催した、当時の人工知能の研究者が10人集まった会議です。

その論文の中でAIは、**「人間と同じ知的な処理能力を持つ機械」**という意味で用いられていました。

「人間と同じ知的な処理能力」の内容については当時から様々な解釈があったものの、AI研究者たちはこれを実現するために様々な研究を行ってきたのです。

ただ、「知的な処理能力」の中でもAIが最も苦手にしていたのが**「創造力」**です。コンピューターは決められたルールの中で作業をこなすのは得意ですが、抽象的な思考や独創的なアイデアを生み出すことは困難だったからです。そのため、執筆業やアーティストなどの「創造力」を発揮するような仕事は、AIでは代替できないものと考えられてきました。

そこから約70年が過ぎ、ついに「創造力」という壁を破るAIが登場しました。本書では、そのようなＡＩを「**生成ＡＩ**」と呼ぶことにします。生成ＡＩとは、人間が「創造力」によって生み出してきたもの——文章、イラスト、音楽など——を生み出すことができるＡＩを指します。

生成ＡＩは新しい概念であるため、人によって定義や分類が異なる部分もありますが、本書では次のようなものを生成ＡＩの代表的な例として紹介します。

（注1）http://www-formal.stanford.edu/jmc/history/dartmouth/dartmouth.html

本書で紹介する生成ＡＩの顔触れ

文章生成ＡＩ

（ChatGPT、Bing AIチャット等）

利用者の入力したテキスト（文章）に応じて、ＡＩがテキストで回答します。質問に対する回答、小説の作成、文章の要約、プログラムのソースコードの作成等、様々なことが実現できます。

画像生成ＡＩ

（Stable Diffusion、Midjourney等）

利用者が入力したテキスト等に応じて、ＡＩが画像を作成します。

画像の中に登場する人や物を指定することはもちろん、画像の雰囲気やスタイルといった様々な条件を指定して、まるで人間が描いたかのような自然な画像を生成することができます。

動画生成ＡＩ

（Make-a-Video、Imagen Video等）

利用者が入力したテキスト等に応じて、ＡＩが動画を生成します。

現時点での技術では短い動画の生成までとなっていますが、今後さらに性能が向上することが期待されています。

３Ｄモデル生成ＡＩ

（DreamFusion、Magic3D等）

利用者が入力したテキスト等に応じて、ＡＩが３Ｄモデルを生成します。

３Ｄモデルとは、立体的なコンピューターグラフィック（ＣＧ）を作成する際に利用するデータであり、模型の骨組みのようなものです。人、動物、建物などを３Ｄモデルとして作り上げ、その表面に模様（テクスチャ）を貼り付けることで、ＣＧが完成するのです。

３Ｄモデルが自動生成できるようになることで、ＣＧを作る作業効率が大幅に向上できると期待されています。

音楽生成ＡＩ

（CREEVO、SOUNDRAW等）

利用者が入力したテキスト等に応じて、ＡＩが音楽を生成します。テキストをもとに自動作曲して演奏を行ったり、効果音を作ったり、伴奏を生成させたりと、様々な応用方法があります。

このように現時点でも多種多様な生成ＡＩが生み出されていますが、まだまだ序の口と言うべきでしょう。今後、これらのＡＩを組み合わせたり、検索サービス等の既存サービスと融合したり、ＰＣやスマホのアプリと連携したりすることで、これまでには実現できなかった新サービスがどんどん提供されることになるでしょう。

ＡＩは、70年もの長い時間をかけて着実に進化してきました。

まずはＡＩの歴史を簡単に振り返り、どのような流れの中で生成ＡＩが生まれたのかを見ていきましょう。

AIの発展の歴史

第1次AIブームの始まりと終わり

最初にAIに対する期待が高まったのは、1960年代のことです。

IBMが開発したメインフレームと呼ばれる、商用の大型コンピューターが銀行等の大企業でも使われるようになった時代であり、日本でも富士通、日本電気、日立等の各社が米国企業と技術提携しながら、自社のコンピューターを開発していった時代です。

そろばんを使って計算を行うことが一般的だった当時、コンピューターの導入は画期的なことでした。コンピューターは、どんなそろばんの名人よりも圧倒的に速く、正確に計算することができたのです。

そして、当時の人々の期待は高まりました。計算ですら一瞬でできるのだから、人間が行っている、あらゆる物事をコンピューターが担えるようになるだろう。つまり、**完璧なＡＩ**が登場するはずだという夢があったのです。

そして、実際に様々なＡＩが開発されました。

当時のＡＩは、「**推論と探索**」を得意としていました。すなわち、人間が設定したプログラムを、ルール通りに実行するのが得意だったということです。しらみつぶしに選択肢を調べ上げることで答えが見つかるような、迷路の解き方の発見や、チェスの最善の一手といった限られた分野では、ＡＩが最適な答えを導けました。

ただ、逆に言うと、このような限られた分野での、単純な問題にしか対応できず、世の中にある、より複雑な問題に対応することはできませんでした。

当時の多くの人々を驚かせた**ELIZA**（イライザ）という、対話型のＡＩを搭載したコンピューターを見てみましょう。１９６６年にＭＩＴ（マサチューセッツ工科大学）の教授によって作られました。

図1-1　ELIZA（イライザ）の動作画面

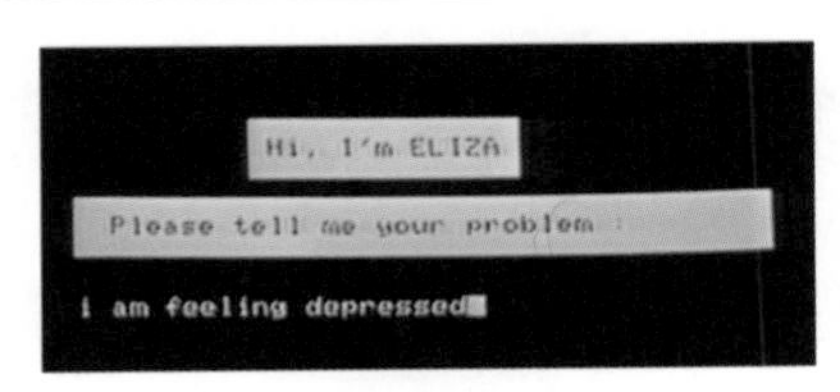

［対話の内容例］
（ELIZA）あなたが抱えている問題を教えていただけますか？
（利用者）ちょっと、落ち込んだ気分なんです。
（ELIZA）どれくらいの間、落ち込んでいるんですか？
（利用者）私の娘が、家を出て行ってからですね。
（ELIZA）それから？
（利用者）娘がトラブルに巻き込まれないかと心配で。
（ELIZA）娘さんがトラブルに巻き込まれるというのは、
あなたにとってどういう意味になるのでしょうか？
（原文は英語。筆者による翻訳）

https://www.youtube.com/watch?v=4sngIh0YJtk

図1－1のように、心理カウンセラーを模した相手と対話することができたのです。

一見すると、人間が受け答えしているように、複雑な物事に対応できているように見えます。

実際には、このELIZAを動作させるためのプログラムには、回答する文章の基本形があらかじめ用意されていました。利用者が入力した文章の中から、特定の単語を見つけてパターンマッチングするというような、単純な仕掛けだったのです。

しかし、生成する文章に工夫が凝らされていたことで、会話の内容にはリアリティがあり、ELIZAを見た人を驚かせたのです。

また、他にも当時、ＡＩによって言語を翻訳するという研究も進められていました。

しかし、当時のコンピューターの能力では全く不足することが分かり、期待に沿う結果は出せませんでした。

そして、ＡＩに対する期待が大きかった割に、実際にできることが少ないということが分かり、失望が広がりました。

その結果、１９６０年代でＡＩブームは収束し、１９７０年代はＡＩがほとんど注目されない**冬の時代**となりました。

ＡＩの冬を経て始まった第２次ＡＩブーム

１９８０年代になって、コンピューターの活躍範囲が一気に広がります。

銀行ではオンラインシステムと呼ばれる仕組みが整備され、銀行間がネットワークで結ばれて様々な取引が電子化されただけでなく、その情報を分析して経営戦略に役立てられるようになりました。

このような技術進歩を背景に、再びＡＩが注目され、２回目のＡＩブームが起こります。

第１次ＡＩブームのときには、何でもできる汎用的なＡＩが期待されていたのですが、**第２次ＡＩブーム**では、専門性の高い領域に特化したＡＩが期待されたのです。このようなＡＩを、当時は「**エキスパートシステム**」と呼んでいました。この時代のＡＩの特徴は、**知識**を蓄えることです。膨大な知識をコンピューターが扱える形式で事前に準備することで、専門家のような受け答えを目指したのです。

当時のＡＩの例を、見てみましょう。

Mycin（マイシン）というスタンフォード大学で作られたＡＩは、伝染性の血液疾患を診断して、それに対する抗生物質を推奨するものです。

５００個程度の専門的知識（ルール）が事前に設定されており、それをもとに診断を行っていきます。

専門用語が多いですが、図１-２のようなイメージです。

Mycinを使う際には、培地やグラム染色といった検査結果について、１問１答の形式で対話を繰り返します。

図1-2　Mycinでの設定とルールの例

［事前に設定されたルールの実例］

```
(defrule 52
  if (site culture is blood)
     (gram organism is neg)
     (morphology organism is rod)
     (burn patient is serious)
  then .4
     (identity organism is pseudomonas))
```

［ルールの内容］

ルール定義 No.52
もし、以下の条件を全て満たすのならば、
- 培地が「血液」
- 細菌のグラム染色による分類結果が「ネガティブ」
- 細菌の形が「棒状」
- 患者の火傷の状況が「深刻」

0.4 の確率で、以下となる
- 「緑膿菌」と判定

https://semicon.jeita.or.jp/STRJ/STRJ/2014/2014_04_TokubetsuKouen1_v2.pdf

すると、最終的にMycinが疾患の状況を診断してくれるのです。

Mycinの診断結果は、**65％の正確性**があったということで、それなりに評価できるものでした。細菌感染の専門医の診断（80％の正確性）には及びませんが、**専門でない医師の診断よりはよい結果**でした。

しかし、医療現場の実務でMycinが利用されることはありませんでした。性能面の問題ではなく、倫理面、法律面の問題として、誤診してしまったときの責任問題等が課題になったのです。

他にも、エキスパートシステムとして様々なＡＩが開発されました。

日本でも当時の通産省が旗振り役となり、これまでのコンピューターの発展（第一世代〜第四世代）を踏まえて、ＡＩを実現する「**第五世代コンピューター**」を実現しようという大型プロジェクトも推進されました。

しかし、この時代のＡＩは自ら情報を収集することができず、事前に大量の専門情報を人間が集め、コンピューターが理解できるように整理する必要があったため、その作業がとても大変だったのです。

結果的に、ＡＩの能力を向上させるという効果に対して、事前準備作業という費用面が見合わず、画期的なＡＩを生み出すことはできませんでした。第五世代コンピューターのプロジェクトも、10年間の取り組みを経て収束することとなりました。

そして、１９９５年頃からは、またＡＩの冬の時代を迎えることとなります。

現在まで続く第3次AIブーム

2000年代から現在に至るまで続いているのが、**第3次AIブーム**です。

コンピューターの性能や、ハードディスク等の記憶装置の性能が格段に進歩したことで、**ビッグデータ**と呼ばれる大量の情報を効率的に分析することが可能となりました。

そして、これらのビッグデータを人間が整理してからAIに渡すのではなく、AIが自らデータを整理し、それをもとに学習するという「**機械学習**」が可能となったのです。

そして、機械学習の中でも様々な手法が生み出されたのですが、特に画期的だったのが**ディープラーニング**（深層学習）の仕組みです。

ディープラーニングの仕組みについては、図1-3のようなイメージを使って説明されることが多いです。このイメージは、脳内にある無数の神経細胞が信号を伝達する仕組みを模しています。しかし、これだけではどのような動作原理になっているのか、いまいち理解できない人が多いと思います。

非常にざっくりとしたたとえですが、中間層のそれぞれの丸が**パチンコ台の釘のよう**

図1-3　ディープラーニングのイメージ

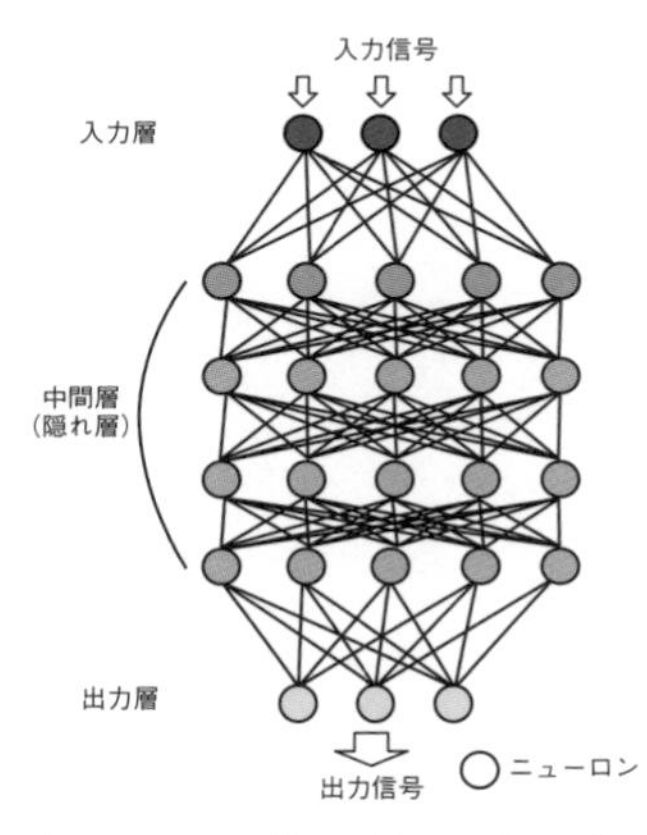

https://www.sangiin.go.jp/japanese/annai/chousa/rippou_chousa/backnumber/2018pdf/20181001018.pdf より作成

なものだとイメージしてください。釘の角度を変えると、たとえその変化がわずかだとしても、パチンコ球の落ち方が大きく変わるわけです。

そして、このＡＩに学習させる過程では、全ての釘の角度を微調整し続けるのです。入力データが犬の画像であった場合には、出力データが「犬」になるように。猫の画像であれば「猫」になるように。このように何十万、何百万ものデータを学習させ、釘の配置を微調整し続けることで、釘の配置が最適化されていくのです。

そして、ついには学習データにない新規の画像を入力しても、それが犬なのか猫なのかを判別できるようになるわけです。

実際には、釘の角度にたとえた部分のことを**パラメーター**と呼んでいます。それぞれのパラメーターに0から1までの数値（例えば、0.36782……）が設定されていて、この数字をもとに順番に計算が実行されます。入力層のデータをもとに中間層の第1層で計算を行い、その結果をもとに第2層で計算を行い、それを繰り返して、最終的に出力層に計算結果が出てくるのです。

最新のAIでは、このパラメーター（釘の数）が数千億個以上あると言われています。信じられないほどの膨大な計算を行っているのです。

この原理を知れば分かるように、AIは大量のデータ（入力データと出力データの組み合わせ）さえ与えれば自分自身で学習を進められるので、人間が「犬」や「猫」の特徴を事細かに教え込む必要はありません。学習用のデータさえ用意すれば、あとはAIが大量の計算を自動的に繰り返してパラメーターを最適化することができるのです。

ディープラーニングの技術は、AIの応用範囲を飛躍的に広げました。いまや私たちは日常的に使っていますが、次のような技術はディープラーニングによって実現できたのです。

・**文字認識**（スキャンした文字を含む画像の中から、テキストデータを出力）
・**画像認識**（スマホの顔認証等、画像の中の特徴を識別）
・**音声認識**（しゃべった音声をもとに、テキストデータを出力）

そして、自動翻訳、自動運転、自動点検等、様々な分野でこれらの技術が活用されています。

直近では物事を「**認識**」するだけでなく、様々なコンテンツを「**生成**」するというＡＩが登場して、世界中から大きな注目を浴びています。

これこそ、本書の主題である**生成ＡＩ**です。

生成ＡＩの風雲児、OpenAI

OpenAI（オープンエーアイ）は、革新的な生成ＡＩを次々に生み出している話題の組織です。

２０１５年に、サム・アルトマン（現在のＣＥＯ）や、イーロン・マスク（テスラやスペースX等のCEO）等によって設立された新しい組織です。

AIの研究開発を通して、**人類全体に利益をもたらすこと**を目標としています。

OpenAIが生み出すAIの中でも、早い時期から注目を集め続けていたのが**文章生成AI**である**GPT**（Generative Pre-trained Transformer）のシリーズです。

利用者の質問や依頼に対して、流暢な自然言語（人間が話す言葉そのもの）で的確に答えることができるというのが最大の特徴です。

2018年にGPT、2019年にGPT-2という技術を発表します（図1-4）。GPT-2はかなりの精度で文章を生成することができたため、悪用を防ぐ観点からフルスペック版は非公開とされていました。

2020年には、GPT-3を発表します。これは当時において革新的なスペックを持った文章生成AIであり、桁違いに膨大な量のデータを学習することで、非常に高い精度の文章作成が可能になりました。同じく悪用防止の観点から当初は一般公開されませんでしたが、段階的に登録ユーザーが試用できるようになりました。

図1-4　OpenAIの文章生成AI、GPTシリーズ

発表時期	サービス名
2018年6月	GPT
2019年2月	GPT-2
2020年5月	GPT-3
2022年11月	ChatGPT（GPT-3.5）
2023年3月	GPT-4

そして、2022年11月に**ChatGPT**を一般公開します。

これは、GPT-3.5と呼ばれる技術を使っており、GPT-3をベースとして、対話でやりとりできるように改良したものです。

ChatGPTは公開されるや否や、世界中で話題になり、公開からわずか5日にして、登録ユーザーが100万人を突破するという前人未到の記録を打ち立てました。ちなみにNetflixは3.5年、Facebookでは10か月かかった数字です。[注2]その後も数字は増え続け、約2か月で登録ユーザーは1億人を超えています。

2023年3月には、さらに精度を高め

（注2）https://www.statista.com/chart/29174/time-to-one-million-users/

た**GPT-4**を一般公開しました。ChatGPTの有料ユーザーは、GPT-3.5だけでなくGPT-4を選択して利用できるようになりました。

十分に発達した科学技術は、魔法と見分けがつかない[注3]という言葉があります。まさに、文章生成AIは、昔の人が見たら魔法としか思えない技術です。

まずは、文章生成AIの代表格であり、無料でも利用できるこのChatGPTについて、その実力をご紹介しましょう。

「ChatGPT」の実力

基本的な機能は、**入力した質問に回答する**ことです。例として図1-5のように質問をすると、このような回答が返ってきます。

内容も的確で、直接的に質問した内容以上の返答が得られました。

こういった、人間が入力した内容に回答するサービスは以前からあり、**チャットボット**と呼ばれています。しかし、チャットボットは基本的に、決められた質問に対して決め

図1-5　ChatGPTでの質問と回答

（入力内容）
フライパンは、燃えるゴミですか?

（ChatGPT の回答）
通常、フライパンは燃えないゴミとされます。フライパンはステンレスやアルミなどのメタル製品であり、燃えにくい性質があるため、一般的に燃えないゴミとして分類されます。
ただし、フライパンには油やフタなどが残っている場合もあり、このような場合は燃えるゴミとして分類することもあります。また、地域や自治体によっては分別のルールが異なる場合もあるため、自分が住んでいる地域のゴミ分別のルールを確認することをお勧めします。

られた回答をすることしかできないことが多く、定型的な対応が中心となるヘルプデスクなど、限定的な用途でしか利用できませんでした。

ですが、ChatGPTでは、回答は事前に準備されているものではありません。どんな質問に対しても、その場で情報をつなぎ合わせて、文章自体を新しく作っています。にもかかわらず、あたかも事前に回答を用意していたかのような、高い精度の文章となるのです。

例えば、従来のチャットボットが苦手としていたような図1-6のような質問（事

（注3）SF作家のアーサー・C・クラークが定義した、科学についての3つの法則のうちの1つ。

図1-6　追加の質問への回答

（入力内容）
燃えるゴミと燃やさないゴミを区別する基準は何ですか？

（ChatGPT の回答）
燃えるゴミと燃やさないゴミの区別基準は地域や国によって異なりますが、一般的には、下記のようなものが使われます。

燃えるゴミ：燃える物質を含むゴミ。例えば、紙、木、果物、野菜など。
燃やさないゴミ：燃えない物質を含むゴミ。例えば、プラスチック、金属、ガラス、陶器など。

これらはあくまで一般的な基準であり、地域や国によっては異なる場合がありますので、確実な情報は地域の公共サービスまたは環境保護機関に確認することをお勧めします。

前に想定されていない質問）をしても、的確な回答を得ることができます。

従来のチャットボットでは、事前に設定していたキーワードを含む質問には回答できたのですが、同じ内容であっても言い方を変えると答えられないことがありました。質問文中のキーワードの有無に基づいて、回答方針を決めていたからです。しかし、ChatGPTでは、言い方をどのように変えたとしても、自然言語として質問内容を捉えているため、かなり的確な回答を返すことができます。

とはいえ、ChatGPTは万能なわけではありません。図1-7のような質問をした際には、生成された文章自体に違和感はな

図1-7　誤った回答

（入力内容）
物干しざおは、燃えるゴミですか？

（ChatGPTの回答）
いいえ、物干しざおは燃えるごみではありません。物干しざおは、布や紙などの湿気を吸い取るためのもので、回収されるごみのカテゴリーには含まれません。使い終わった物干しざおは、生分解性のものを選ぶか、プラスチック製のものはプラスチックごみとして処理することが推奨されています。

いながらも、内容としては全く正しくない回答が返ってきました。これが、現時点でのChatGPTの限界であるといえるでしょう。おおむね正しいことであっても、事実でないことを回答することもあります。さらに問題なのが、**内容が事実なのか事実でないのか、両者の区別がつかないこと**です。不正確なことも、一見もっともらしく回答してしまうのです。

このような現象が起こる原因は、ChatGPTを含む文章生成ＡＩの仕組みにあります。文章生成ＡＩの基本原理は、「**似たような言葉を探して、つなげていく**」ことです。「フライパン」、「燃えるごみ」といった単語に対して、その単語と関連性の強いものを次々に選び出し、言葉を数珠つなぎにしていくのです。

そんな単純な原理でこんなに自然な文章が生成できるというのは、とても信じられないことでしょう。しかし、莫大な量の学習データと、莫大な計算量の学習作業、そして最先端のＡＩエンジニアの創意工夫によって、実際にこのようなＡＩを作ることができたのです。


ただ、このような原理であるからこそ、時には間違うという欠点が残っています。

例えば「物干し」という言葉から、最初に「布」という言葉をつなげてしまうと、「紙」、「湿気」、「生分解性」というような違う方向の言葉につながってしまいます。図1－7のおかしな回答は、このような背景があって生み出されていたのです。

質問に答えるだけではないChatGPTの実力

ChatGPTができるのは、質問に対して文章で回答を返すだけではありません。**与えられたテーマに基づいた連続する文章**を生成することも、文章生成ＡＩは得意としていま

図1-8　物語の作成

（入力内容）
「ウサギと亀が競争して、引き分けになる話を日本語で[注4]書いてください。」

（ChatGPT の回答）
「ウサギと亀のタイの勝負」

昔々、ウサギと亀は誰が速いか競争するフレンドリーな競争をしました。ウサギは速さと機敏さで有名でしたが、亀は着実で持続力に優れていたと評判でした。

2 人は森の端から端まで走る競争をすることに合意しました。両者は大きな決意で競争に臨みました。ウサギは自分の能力と勝つことを望む気持ちで先にレースに出ました。しかし、途中で彼は一息ついていないことに気がつきました。

呼吸を詰まらせ、疲れたウサギは木の下で小休止することに決定しました。一方、亀は着実に前進しましたが、ウサギが眠っていることに気がつきました。亀はウサギを起こし、彼に一緒に走ろうと誘いました。ウサギは喜んで同意しました。
（以下略）

す。図1－8では、昔話をもとにした物語を作成してもらいました。

文章としては非常に正確で、変な言い回しなども見当たりません。しかし、内容面は、正直あまり面白くありません。ありきたりのストーリーであり、大事なところが抽象化されているので、盛り上がりがないのです。

他のテーマも設定して色々と試してみましたが、基本的には同じようなトーンです。「彼らは、協力し合いながら、多くの課題を克服しました」というように抽象的な言葉で要約してしまうので、物語の起承

（注4）日本語で指示をしても英語で回答されることがあるので、「日本語で」と明示しています。

図1-9　レポートの作成

（入力内容）
ChatGPT について、日本語で簡単なレポートを作成して。

（ChatGPT の回答）
ChatGPT は OpenAI によってトレーニングされた大型の言語モデルです。このモデルは自然言語生成タスクに特化しており、ユーザーのテキスト入力をもとに人工知能が文章を生成することができます。

ChatGPT は高い精度と生成能力を持ち、様々な分野において使われています。例えば、FAQ システム、カスタマーサポート、コンテンツ生成などに利用されています。

このモデルは非常に大規模であり、約 2021 年までのデータを学習しています。このため、幅広いトピックに関する知識を持つことができます。また、学習データに基づいて自然な文章を生成することができるため、人工知能との会話が可能です。

ChatGPT は言語生成タスクにおいて非常に有用なモデルであり、今後もさらなる進化が期待されています。

転結やハラハラドキドキといった面白さがなく、物足りない感じです。

小説のようなより高度な創造性が求められる分野よりは、事実に基づく記事のライティングのほうが向いているようです。図1－9ではレポートを作成させています。このような場合では期待通りに、かなり正確な内容で文章を生成しています。もちろん、この内容が本当に正しいかどうかを再確認する必要があります。一般的には、AIに文章を出力させたものを草稿として、人が追記修正するというような役割分担をすることが現実的でしょう。

他にも小説、レポートだけでなく、読書

図1-10　表形式での回答

KA　野球とサッカーの違いについて、表を作って比較して

野球とサッカーの比較表を作成することができます。

項目	野球	サッカー
選手人数	9人	11人
使用する道具	ボールとバット	ボール
目的	ベースに到達すること	ゴールポスト間にボールをスコアすること
重視するスキル	スキル、戦略、チームワーク	スピード、フィジカル・フィットネス、テクニック
ペース	ゆったりとした	スピーディーで動きの激しい

この表は、野球とサッカーの主要な違いを一覧形式で示しています。これら2つのスポーツの違いは、使用する道具、目的、および重視するスキルにあります。この表を見ることで、野球とサッカーの主要な違いがより明確になることが期待されます。

感想文、メール返信案、音楽の歌詞など、様々な文章を自動生成させることができます。

指示の仕方を工夫すると、文章形式ではなく表のような形式で出力することも可能です（図1-10）。文章で出力する場合と比べて、物事の違いを端的に比較できるので分かりやすくなります。

ここまで生成してきた文章は、基本的に短い文章やキーワードから、多数の情報を追加して長い文章を作るということでしたが、逆に長い文章からその要点を抜き出して要約することもできます。

図1-11の元の文章は、令和5年4月に

図1-11　要約の作成

（入力内容）
以下の文章を分かりやすく要約して。
「この法律は、日本国憲法及び児童の権利に関する条約の精神にのっとり、次代の社会を担う全てのこどもが、生涯にわたる人格形成の基礎を築き、自立した個人としてひとしく健やかに成長することができ、心身の状況、置かれている環境等にかかわらず、その権利の擁護が図られ、将来にわたって幸福な生活を送ることができる社会の実現を目指して、社会全体としてこども施策に取り組むことができるよう、こども施策に関し、基本理念を定め、国の責務等を明らかにし、及びこども施策の基本となる事項を定めるとともに、こども政策推進会議を設置すること等により、こども施策を総合的に推進することを目的とする。」

（ChatGPT の回答）
この法律は、日本国憲法や児童の権利に基づき、将来にわたって幸福な生活を送れるよう、全ての子どもたちが自立し、健やかに成長できる社会を実現することを目的としている。そのため、国がこども施策に取り組み、基本理念や責務、具体的な事項を定め、こども政策推進会議を設置することで、総合的にこども施策を推進することが求められる。

新設されたこども家庭庁に関連する「こども基本法」という法律の第一条（目的）の部分です。

法律であるため独特の言い回しが多く、ぱっと理解することが難しい文章と言えるでしょう。

一方で、ChatGPTが要約してくれた文章を読むと、一文が短くなり、重要な点をシンプルな文章で構成してくれています。元の文章の難解さに比べると、かなり読みやすくなっています。

さらには、図1-12のように文章自体の趣旨は変えずに、表現方法を変えるということもできます。

図1-12　文章の表現の変更

（入力内容）
以下の文書をていねいなメール返信文章にして。
「了解。今度から気を付けるから許して」

（ChatGPT の回答）
「了解いたしました。これからはより注意を払ってまいりますので、お許しいただけますようお願いいいたします。」

このように、文章を長くしたり、短くしたり、読みやすくしたり、丁寧にしたり、変幻自在に文章を操ることができるのです。だからこそ、**文章生成ＡＩがビジネスにも実用的に活用できる**と期待されているのです。

そしてさらに驚くべきなのが**プログラムを書ける機能**もあることです。作りたいプログラムの内容を簡単な文章で指定すると、動作するプログラムを作ってくれるのです。実際に、いくつものパターンで試してみましたが、かなり実用的に使うことができます。

図１－13では、素数を出力するプログラムを作成してみました。非常にシンプルな

図1-13　プログラムの作成

KA　1から１００までの間の素数を抽出するプログラムを、JavaScriptで作って

以下が、JavaScriptで1から100までの素数を抽出するプログラムです。

javascript　Copy code

```javascript
function findPrimes(n) {
    let primes = [];
    for (let i = 2; i <= n; i++) {
        let isPrime = true;
        for (let j = 2; j < i; j++) {
            if (i % j === 0) {
                isPrime = false;
                break;
            }
        }
        if (isPrime) {
            primes.push(i);
        }
    }
    return primes;
}

console.log(findPrimes(100));
```

このプログラムは、関数 `findPrimes` を作ります。この関数は1から100までの整数をチェックして、素数である数字を配列に格納します。

［プログラムの実行結果］

```
(25) [2, 3, 5, 7, 11, 13, 17, 19, 23,
▶ 29, 31, 37, 41, 43, 47, 53, 59, 61, 6
7, 71, 73, 79, 83, 89, 97]
```

指示をするだけで、完璧なプログラムを出力してくれます。実際には、プログラムの内容と、最後にその解説まで出力されます。その解説内容も含めて、完璧です。

実行結果に出てくる、最初の括弧つきの数字（25）は、出力される素数の数を示しており、25個の素数があるということです。そして、もちろんのことながら、素数の一覧にも誤りはありません。

プログラム言語についても、例にあげたJavaScriptだけでなく、Java、Python、C++など、様々な言語に対応しています。こちらの機能も非常に実用的だと言えるのではないでしょうか。

文章だけではない生成ＡＩ

OpenAIの技術は画像生成へも

OpenAIは、文章生成ＡＩで世界中を驚かせました。それだけではなくOpenAIは、この技術が文章生成以外にも応用できることも早期から示していました。

この技術のコアは、前半と後半に分けてみることができます。前半部分は、インプットされたデータをＡＩが理解できる形に解釈する機能、後半部分はその解釈に基づいて新たなデータをアウトプットする機能です。ここで扱っている「データ」は、テキストデータ、すなわち文章に**限りません**。つまり、ここで後半部分で生成するデータを画像にすれば、画像を生成するＡＩ（**画像生成ＡＩ**）になるわけです（図1－14）。

図1-14　AIの技術はいろんな形式に使える

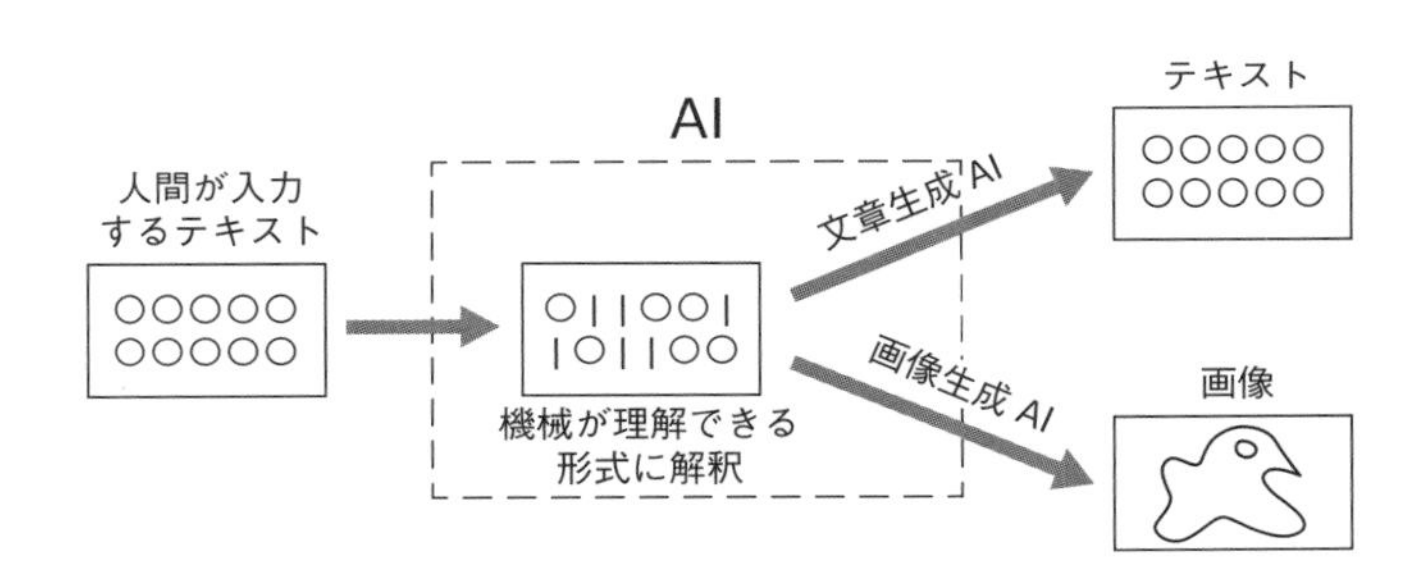

もともと、ＡＩの進化の歴史の中で、画像を扱うことはずっと、ハードルの高いことでした。文字（テキスト）の情報に比べて、画像データの情報量が圧倒的に多いということがその理由の１つです。スマホで撮影した写真は、撮影方法にもよりますが１枚あたり２ＭＢほどのデータ量となります。これは、テキストデータで言うと約１００万文字になるのです。新聞紙に換算すれば約１００枚分もの情報量です。

また、データ自体の解釈が難しいということも大きなハードルでした。人間であれば猫の写真を見れば、写っているものがすぐに猫だと分かります。一方で、コンピューターは猫の写真を**色を表したデータの集まり**と認識するだけであり、写っているものが何であるかを判別することは難しかったのです。

しかし、ＡＩの技術が発展する中で、画像についても、次第に色々な扱い方ができるようになってきました。

最初に進化したのは「**認識**」の技術でした。

まず、手書きの文字などを認識してテキストデータに変換する**ＯＣＲ**（Optical Character Recognition）という技術が発達しました。外国語で書かれた物の写真を撮ると、文字の部分を日本語に翻訳して表示してくれる翻訳アプリ（グーグル翻訳アプリのカメラ画像翻訳等）がありますが、こういったアプリもＯＣＲを応用しています。

また、顔認証のように、画像の中から人間の顔などを識別する画像認識技術も発達しました。画像の中から、人、動物、物など被写体の様々な特徴をつかみ、どのような場所に何が映っているかを識別できるのです。例えば車の自動運転技術の中でも、カメラで撮影した画像をリアルタイムに分析し、道路の幅、前の車の位置、歩行者の有無などを瞬時に判別しているのです。

そしてついに、今度は画像を「**生成**」する技術が生まれてきたのです。

図1-15　DALL-Eのデモ

TEXT PROMPT　an armchair in the shape of an avocado. . . .

AI-GENERATED IMAGES

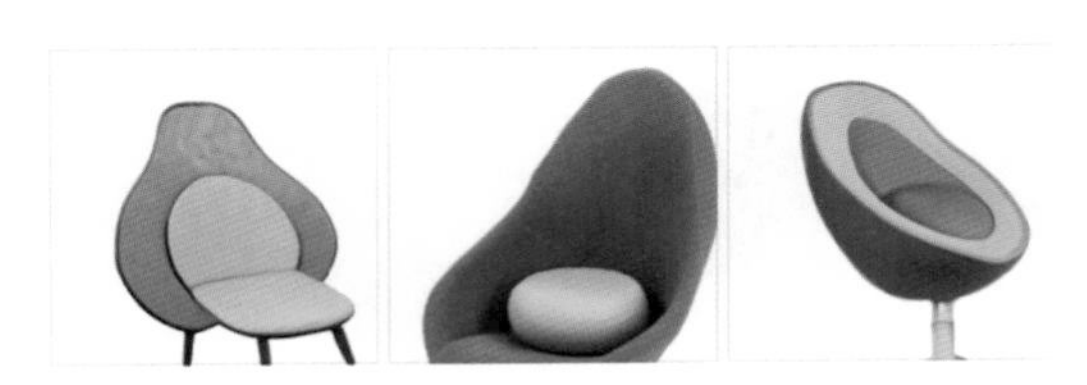

https://www.technologyreview.com/2021/01/05/1015754/avocado-armchair-future-ai-openai-deep-learning-nlp-gpt3-computer-vision-common-sense/

２０２１年１月に、**DALL-E**（ダリー）というＡＩが、OpenAIから発表されました。当時の最新技術であったGPT-3をもとに、それを画像生成に応用したDALL-Eを作ったのです。

DALL-Eについては、発表当時は一般的な利用者に向けて公開されたわけではなく、あくまで内部での実験成果が公開されていました。「アボカドのような椅子を作って」という指示に、的確に画像を生成するというデモの成果（図１-15）を見て、世界中が驚きました。

２０２２年４月には、DALL-E２が発表されます。画像の一部のみを再修整する機能、現在の範囲外にまで画像の続きを描く機能等、様々な機能が追加されました。当初は研究目的で限られた利用者のみに公開されましたが、同年7月にはベータ版として一般公開され、事前登録していた人が利用できるようになりました。当初に公開を限定していたのは、GPTシリーズと同様に、犯罪に使われるリスクや、変な回答を返してしまって世間で炎上してしまうというリスクを避けるためでした。

しかし、この２０２２年にはDALL-Eだけでなく、次に紹介するStable DiffusionやMidjourney等の画像生成ＡＩが各社から相次いで公開されたことで、この年は画像生成ＡＩを巡る環境が大きく変化した一年となったのです。

画像生成AIブームの火付け役、Stable Diffusion

Stable Diffusion（ステーブル・ディフュージョン）は、ベンチャー企業のstability.aiが開発し、２０２２年8月に発表された画像生成ＡＩの新星です。

Stable Diffusionは基本的に無料で利用できます。そして、このサービスは**オープンソース**として提供されています。つまり、無料で公開されているプログラムをダウンロードして自分のＰＣにインストールすることで、無制限に画像を生成できますし、オリジナルの画像データを学習させて独自の画像生成ＡＩを作ることもできるのです。

また、Stable Diffusionで作成した画像は、法律に違反するようなものを除いて、商用利用することも認められています。

このような特徴を持つため発表直後から話題となり、短期間で一気に普及が進みました。

百聞は一見にしかずというコトワザがこれほど当てはまる分野もないので、まずはご自身で画像生成を試してみることをおススメします。

Stable Diffusionを利用する方法は数多く用意されていますが、一番簡単なのはデモサイトを使うことです。Stable Diffusion Online[注5]を使ってみましょう。

例えば、「a photograph of an astronaut playing the piano」（ピアノを弾いている宇宙飛行士の写真）と入力してみます。

（注5）https://stablediffusionweb.com/

図1-16　Stable Diffusionの出力例

https://stablediffusionweb.com/

すると、1分程度で画像生成が完了し、図1-16のように4つの写真が自動生成されます。構図や画像の特徴は毎回異なりますが、指示に合った画像を4通り作成してくれるのです。

これらの画像は、インターネットに存在していた写真を検索してきたわけではありません。利用者の依頼に基づいて、この瞬間にＡＩが自動生成した画像なのです。

なお、写真をよく見ると、ピアノの鍵盤の並びが少しおかしかったり、宇宙飛行士の指の本数がおかしかったりと、少し変な部分があります。

このあたりは、現時点の技術の限界のようです。特に現実世界と数量を合わせるよ

図1-17　イラスト風の画像の出力

https://stablediffusionweb.com/

うな処理（鍵盤の数、指の数など）は、少し苦手としています。とはいえ、全体的には驚くべき精度で画像を生成することに成功しています。

先ほどの例では、写真風の画像が表示されました。テキストの中に「写真」(photograph)という単語を入れていたからです。

方向性を変えて、今回の指示ではイラスト風の画像を表示してみましょう。先ほどの指示の先頭部分をan illustration（イラスト）に変え、an illustration of an astronaut playing the pianoと入力します。

見事に、イラスト風の画像が生成されました（図1－17）。

図1-18　表現の指定

「an illustration of an astronaut playing the piano,photo realistic,movie scene,super detailed,bright lights」
https://stablediffusionweb.com/

イラストのスタイルについても、例示を加えることで細かく指定することができます。例えば、有名な画家であるゴッホの油絵のようにと指定すると、ゴッホの粗い絵筆のタッチで画像を作ってくれるのです。

さらに、入力するテキストの内容を工夫することで、様々な美しい画像を生成することができます。

例えば、次のような形容表現を加えていくと、生成される画像がどんどん変化していくのです。

- **photo realistic**（写実的な）
- **movie scene**（映画のシーンのような）
- **super detailed**（超精細な）

図1-19　Lexicaにあるたくさんの画像

https://lexica.art/

・bright lights（明るい光が当たる）

実際に試したものが図1‐18です。このように、今までとはかなり雰囲気の違うイラストを生成することに成功しました。

多くの人が生み出した美しい画像が、様々な場所で公開されています。有名なギャラリーサイトであるLexica[注6]を見てみましょう。図1‐19のように、素晴らしい画像が大量に掲載されています。

多くの人が画像生成ＡＩを試す中で、どのような単語を入れると美しい画像が生成できるかというノウハウの研究が、あっと

（注6）https://lexica.art/

いう間に進みました。

そして、入力するテキスト（プロンプトと呼びます）を自由自在に繰り出せる人のことを表して「**プロンプト・エンジニア**」という造語も生まれました。

日本語では、プロンプトのことを通称で「**呪文**」と呼んでいます。確かに、呪文を使って魔法を呼び出したかのような状況ですね。

一足先に公開されたMidjourney

Stable Diffusionより一足先の２０２２年６月にサービスを開始したのが、Midjourney（ミッドジャーニー）です。開発元は同名のベンチャー企業です。
できることは、基本的にStable Diffusionと同じです。
生成される画像の品質は入力するプロンプト内容に依存するので一概に比較できませんが、かなり高精細な画像を出力できるという点で人気になっています。
Stable Diffusionで試したものと同じ言葉（プロンプト）で、画像を生成してみると、

図1-20　Midjourneyの出力例

a photograph of an astronaut playing the piano
（ピアノを弾いている宇宙飛行士の写真）

Midjourney により生成

図1－20のように、非常に美しい画像を作り出すことができました。

もちろん、Stable Diffusionと同様に、プロンプトの内容を工夫して様々な形容表現を追加していくと、より美しく独創性に富んだ画像を出力することができます。

基本的には、月額10ドルから60ドルまでの有料サービスとなっています。ただ、無料の範囲でも1アカウントあたり25枚程度の自動生成を行うことができるので、気軽に試すことができます。

なお、有料会員は自ら生成した画像について商用利用することが認められていますが、無料会員は商用利用が認められていないので注意が必要です。

Midjourneyを本格的に使うためには有料プランに入る必要があるのですが、生成される画像は非常に精彩であり、人間にも作成できないような斬新なコンセプトで緻密な絵を描いてくれるという印象です。

有料プランに入ってしまうと、しばらくの間は夜更かしの日々が続いてしまうでしょう。

動画生成AIも着実に発展中

テキスト生成、画像生成とくれば、当然次に考えられるのが**動画生成**です。

動画生成AIはまだ一般的に広く使われているわけではありませんが、既に技術的な面では完成しています。

画像生成AIが、Stable Diffusionによる無料公開で一気に世界中に広まったように、動画生成についても今後に何らかのきっかけで一気に普及する可能性があるため、開発状況を知っておくとよいでしょう。

図1-21　主要な動画生成AI

サービス名	発表時期	開発元
Make-A-Video	2022年9月	メタ
Imagen Video	2022年10月	グーグル
Gen-1	2023年2月	runway Research
Animai	2023年3月	stability.ai

図1-21にまとめているように、2022年9月頃から、様々な動画生成AIが発表され始めています。

今まさに、各社がしのぎを削って開発競争をしている状態です。

現時点では、主要な動画生成AIのサービスは一般公開されていないため、自分自身で動作を試してみることはできません。

ただ、現時点でどのような品質の動画が生成できるのか、公開されている資料からその一端をのぞき見ることができます。

Make-A-Video（メタ）

メタ（旧社名 Facebook）が開発したMake-A-Videoは、テキストから動画を生成できるということで話題になりました。

図1-22　Make-A-Videoの出力例

「A teddy bear painting a portrait」
（肖像画を描いているテディベア）

[生成された動画]
テディベア（右側）が、筆を動かしながら自身の肖像画（左側）を描く5秒程度の動画

https://makeavideo.studio/

図1－22では、テディベアを題材に簡単な文章から動画を生成できる例を紹介しています。

また、画像から動画を生成するということもできます。

例えば、荒れ狂う波を進む帆船の1枚の絵をインプットとして、嵐の中を進んでいく帆船の動画へと変えることができます。

公式サイトでのデモ動画は、いずれも数秒程度の短いものではありますが、動画生成AIのこれからの発展を予見させるものでした。

図1-23 Imagen Videoの出力例

「Sprouts in the shape of text 'Imagen' coming out of a fairytale book.」
（'Imagen' という文字の形の新芽が、おとぎ話の本から出てくる）

［生成された動画］
IMAGEN というテキストが左から右へ段階的に表示され、その後に開かれた本から新芽が伸びていく５秒程度の動画

https://imagen.research.google/video/

Imagen Video（グーグル）

２０２２年10月、Make-A-Videoの発表から約１週間後に、グーグルがImagen（イマージェン）Video（ビデオ）を発表しました。

こちらも生成された動画は数秒程度の短いものですが、図１－23のようにテキストから動画を生成することができます。

また、グーグルはPhenaki（フェナキ）[注7]という動画生成ＡＩも発表しています。

グーグルはImagen Video（高い解像度が得られる）とPhenaki（長い動画を生成できる）の長所を組み合わせて動画を生成する試みも実施していて、今後は両者を統

（注7）フェナキトスコープという、円盤の周囲にパラパラマンガを描いたような初期のアニメーション機器が語源のようです。

合する方向となるようです。[注8]

Gen-1

２０２３年2月に、動画生成ＡＩのGen-1（ジェン・ワン）が発表されました。開発したのはrunway Researchという企業です。画像生成ＡＩであるStable Diffusionの共同開発元でもあり、その技術を活かして動画生成ＡＩへと進化させました。

単純にテキストから動画を生成するだけでなく、動画から別の動画を生成するなど、実用的で面白い機能が揃っています。

例えば、スタイリゼーションという機能があります。

動画の中の人間の動きを指定した画像（キャラクター等）に変換し、あたかもキャラクターが動いているかのような動画を生み出すことができます（図１-24）。

この他にも、ノートが縦に並べられた動画をビルディングの森に変換したり、模様のない白犬が歩いている動画で、犬の模様をダルメシアンのように黒い斑点模様に変えたりと、いくつかの応用例が示されています。

生成される映像も、精彩で美しいものになっています。また、これまでに発表された

図1-24　Gen-1の出力例

［インプットとなる動画］
人間が腕を回しながらポーズをとっている５秒程度の動画

［自動生成された動画］
人間の腕や体の動きと全く同じポーズで、指定された画像のアバターが動いている動画

https://research.runwayml.com/gen1

動画生成ＡＩでは数秒程度の短い動画が中心でしたが、Gen-1では他のものよりも長い動画を生成できるようです。

本書執筆時点では、このGen-1が最新事例という状況ですが、画像生成ＡＩのStable Diffusionの開発元がAnimaiという新しい動画生成ＡＩを公開するなどの動きもあり、この後も競合各社が次々に目新しいサービスを打ち出してくることになるでしょう。

（注８）グーグルのＡＩツールでテキストから映画をつくる｜CineD
https://www.cined.com/jp/creating-entire-movies-from-text-using-googles-ai-tools/

様々な発展の可能性が示されている動画生成ＡＩ

ここまでで紹介してきた動画生成ＡＩは、テキストなどで指示することで、全く新規の動画を作成できるものでした。この生成では、画像生成ＡＩと同じように、多くの学習データがもとになっています。

一方で、生成する動画の基本骨格部分をあらかじめ準備しておいて、ユーザーの指示に基づいて**動画の内容をアレンジ**するというタイプのサービスもあります。典型的なものは、人物のモデルを先に入力しておき、その人物が会話する様子を動画でシミュレーションできるというサービスです。

このようなサービスは数年前から存在していましたが、動画生成技術の高度化に伴って、より使いやすいように進化しています。

synthesia[注9]は、動画のプレゼン資料を作成できるサービスです（図1-25）。85種類のＡＩアバターが用意されていて、好きなアバターを選んで動画にすることが

図1-25　synthesiaの出力例

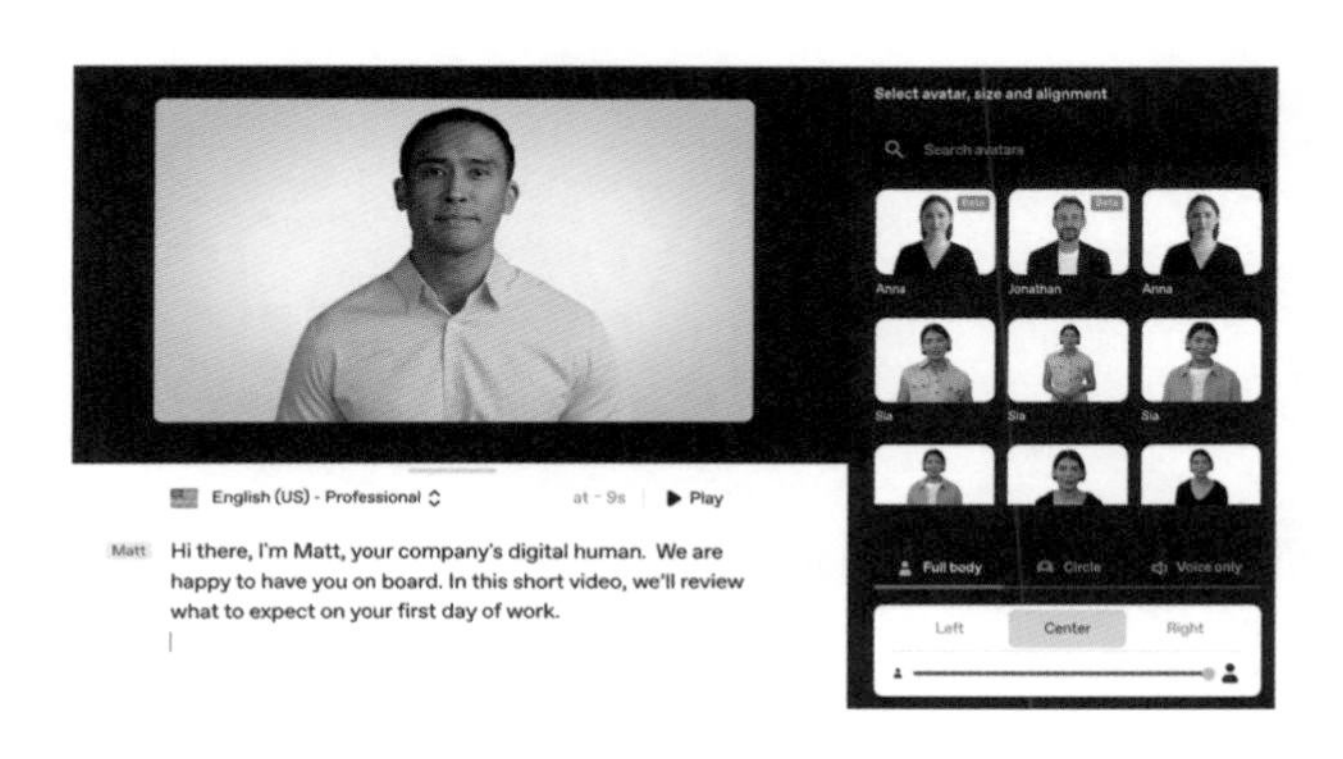

https://www.synthesia.io/demo-thank-you

できます。アバターがしゃべる内容は、利用者がテキストを入力して自由に指定することができます。ただテキストを入力するだけで、抑揚や間の取り方も含めて自動調整してくれますし、仕上がりはとても自然です。

英語だけでなく120種類もの言語（英語等の各国バリエーションを含みます）に対応していて、日本語ももちろんしゃべることができます。ただ、筆者が色々と試した中では、英語以外の言語では口の動きと音声が微妙にマッチせず、わずかですが音声が遅れて聞こえるような感覚がありました。

逆に、英語については本当に自然です。

（注9）https://www.synthesia.io/

実際の人間がしゃべっているとしか思えない精度で、ＡＩアバターがスピーチする動画を作成できます。

現時点では、メタもグーグルも、動画生成ＡＩの一般公開を行っていません。

特にグーグルは、**「責任あるＡＩへの取り組み」**という倫理観を重視しており、開発した技術をすぐに世の中へ公開するのではなく、そのＡＩがどのような影響を与えるかを慎重に見極めるという姿勢を取っています。

確かに、他人の写真に基づいて、あたかもその人がしゃべったかのような動画を自由に作れるようになると、悪用される危険性が大きいですし、犯罪行為につながる恐れがあります。その危険性については第3章で解説します。

一方で、技術のオープン化（一般公開）の波は留まるところを知りません。

文章生成ＡＩも画像生成ＡＩも、当初は危険性が高いということで一般公開が控えられていました。一方で、このようなクローズな仕組みにしていると、限られた超大手企業だけが高性能なＡＩを使うことが可能となり、その企業に高額の使用料を払える企業も含めて、「金持ちしか使えない」という不公平性が生まれます。この点に危機感を持ったスタートアップ企業によって、画像生成ＡＩのオープン化が進みました。

この経緯を考えると、動画生成ＡＩについても一般公開される日が近いのかもしれません。

将来性の高い3Dモデルの自動生成

３Ｄモデルとは、立体的なコンピューターグラフィック（ＣＧ）を作成する際に利用するデータであり、模型の骨組みのようなものです。人、動物、建物などを３Ｄモデルとして作り上げ、その表面に模様（テクスチャ）を貼り付けることで、ＣＧが完成します。

３Ｄモデルを作ることによって、光の当たり方や影のでき方を簡単に計算することができるようになります。そして、キャラクターが動いたり、姿勢を変えたり、視点が変わったりした際にも、瞬時に色合いや明るさなどを再計算することで、リアルに３Ｄグラフィックを表現できるようになるのです。ゲーム、アニメ、映画など、幅広い分野で用い

図1-26　主要な3Dモデル生成AI

サービス名	発表時期	開発元
DreamFusion	2022年9月	グーグル
Magic3D	2022年11月	NVIDIA
Control Net	2023年2月	スタンフォード大学の 2名による論文

られています。

この3Dモデルの生成についても、生成AIの活用が進められています（図1-26）。

CGで緻密な世界観を実現するには、数千、数万もの多数の3Dモデルを作成する必要があります。しかし、それだけの数の3Dモデルを作成するにはかなりの時間がかかります。そこでAIを活用することで品質の良い3Dモデルを効率的に作成できると、期待が高まっています。

図1-27　DreamFusionの出力例

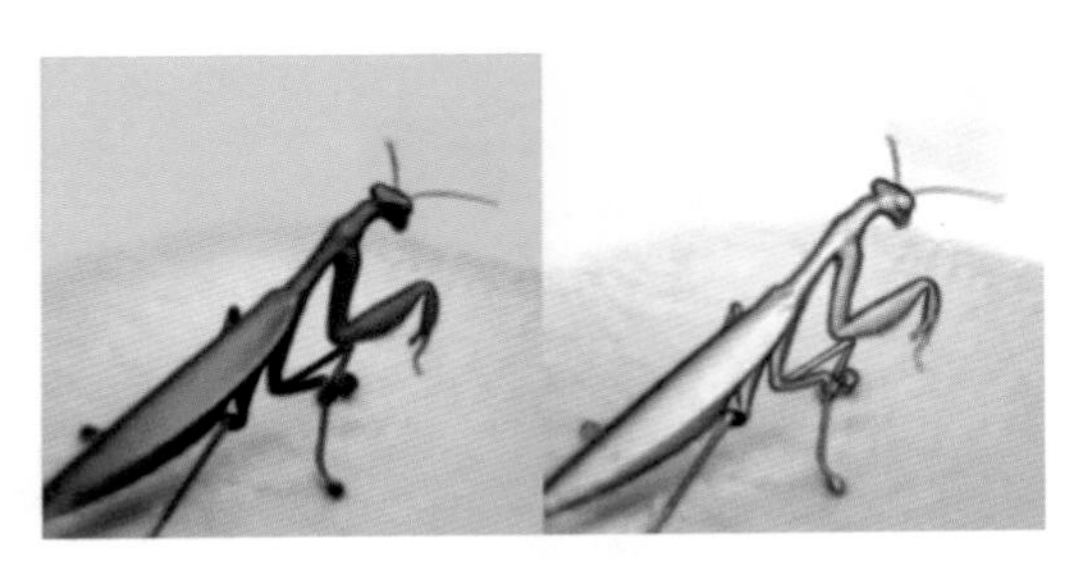

[...] a praying mantis wearing roller skates

ローラースケートを履いたカマキリ

https://www.youtube.com/watch?v=vk2xXtF1Y5Y

DreamFusion（グーグル）

２０２２年９月に、グーグルがDream Fusionを発表しました。

発表は研究成果の紹介のみだったため、まだ利用者が自由に使うことはできませんが、生成した３Ｄモデルの実例が多数紹介されています。

例えば、図１-27のようなモデルです。画像では分かりにくいですが、ウェブサイト[注10]では回転する３Ｄモデルが紹介されているので、立体的な形状として作りこまれていることがよく分かります。

ただ、解像度はあまり高くありません。少しぼやけたように見えます。

（注10）https://dreamfusion3d.github.io/

図1-28 Magic3Dの出力例

睡蓮の上に座る青いヤドクガエル

https://research.nvidia.com/labs/dir/magic3d/

Magic3D（NVIDIA）

2022年11月に、NVIDIAはMagic3Dを発表しました。

テキストから3Dモデルを生成するという基本的な機能は同じですが、DreamFusionと比較して、解像度が8倍高く非常に美しい（図1-28）一方で、生成にかかる時間は半分程度となっています。

Control Net

もう1つ、非常に興味深い技術が登場しているので紹介しましょう。

2023年2月に、Control Netというポーズ制御技術が発表されました。棒人間のような簡易な3Dモデル（骨組みという意味でボーンと呼ばれます）で腕や足など

図1-29　Control Netの出力例

https://arxiv.org/pdf/2302.05543.pdf

のポーズを設定すれば、そのポーズ通りに様々な人やキャラクターの画像を生成できるという技術です。

図1－29の一番左側にあるのがボーン（骨人間）です。様々な人物に、この指定したボーンの姿勢と同じ姿勢を取らせた画像を自動生成できます。

この技術は、スタンフォード大学の2名による論文として公開されました。その数日後には画像生成ＡＩのStable Diffusionと組み合わせて利用できる拡張機能が公開され、利用者が自分自身で試せるようになり、瞬く間に世界中で話題になりました。

この技術が素晴らしいのは、キャラクターを使った画像や動画の制作が圧倒的に効率化できるところです。

通常の画像生成ＡＩでは、入力するテキスト（プロンプト）を工夫することである程度ポーズを指定することもできますが、なかなか思い通りの画像を得るのは難しいことでした。「右手を上げている」という言葉を入れても、右手の上げ方は千差万別です。何度も言葉を変えながら試行錯誤して、やっと思い通りの画像を生成できるという状況だったのです。

しかし、Control Netを使えば、棒人間の３Ｄモデルで自由自在にポーズを指定し、そのポーズ通りの画像を得ることができるのです。自在にポーズを指定するツールも別途公開されています。[注11]

画像生成だけでなく、アニメ等の動画制作においても非常に有用な技術であり、大きな注目を集めています。

音楽までも生成するＡＩ

音楽の自動生成についても、もちろん取り組みが進められています。

広い意味で考えると、音楽は自動生成の歴史が非常に長いのです。オーケストラやピアノで生演奏していた時代には音楽を自動生成することはできませんでしたが、１９７０年代頃にはシンセサイザーを始めとする電子楽器が普及し、コンピューターで音楽を作るというスタイルがプロの世界でも活用されるようになりました。

音楽は、和音の作り方やコード進行（和音を並べる順番）などの原理部分が論理的に組み立てられているので、コンピューターとは非常に相性が良いのです。コード進行やリズムパターンを事前に設定しておけば、あとはコンピューターがその通りに演奏します。文章、画像、動画といった分野とは異なり、音楽についてはコンピューターが演奏するという風景が既に日常のものとなっていました。

とはいえ、これまでのコンピューター音楽は、自動生成というよりも自動演奏と呼ぶべきものでした。人間が事前に演奏方法を設定しているからこそ、美しい音楽を奏でることができたのです。

一方で、最近になって人間が演奏方法を設定しなくても、コンピューターが音楽を

（注11）Openpose　https://github.com/CMU-Perceptual-Computing-Lab/openpose

図1-30　主要な音楽生成AI

サービス名	発表時期	開発元
CREEVO	2021年5月	京都大学白眉センター
SOUNDRAW	2020年9月	SOUNDRAW Inc.
SingSong注12	2023年1月	グーグル

作ってくれるというサービスが登場しています。これはまさに、音楽の自動生成と呼ぶべきものでしょう。

そのような**音楽生成ＡＩ**の具体例を見ていきましょう。既に発表されているものを、図１-30にまとめました。

テキストを歌にするCREEVO

京都大学の白眉センターが公開しているＡＩです。

テキストを入力すると、そのテキストを歌詞にした音楽を自動生成してくれます。誰もが無料で試すことができますし、出来上がった音楽をすぐに歌声付きで聞くことができ、楽譜まで自動生成してくれます。

試しに、直前に記した文章をもとに、曲

図1-31　CREEVOの出力例

https://creevo-music.com/

を作ってみました（図1－31）。伴奏パターンなど様々な設定を変えて何度も試すことができるので、とても面白いです。

BGMを生成するSOUNDRAW

SOUNDRAWは、BGM用の音楽を生成するAIです。

難しい知識は全く必要なく、音楽のムード（Angry、Dreamy、Peaceful等）、ジャンル（Acoustic、Hip Hop、Beats等）、テーマ（Cinematic、Corporate、Nature等）の中から気にいったものを選べば、図1－32のようにその雰囲気に合わせてAIが音楽を自動生成します。

（注12）今後、一般公開を予定

図1-32　SOUNDRAWの出力例

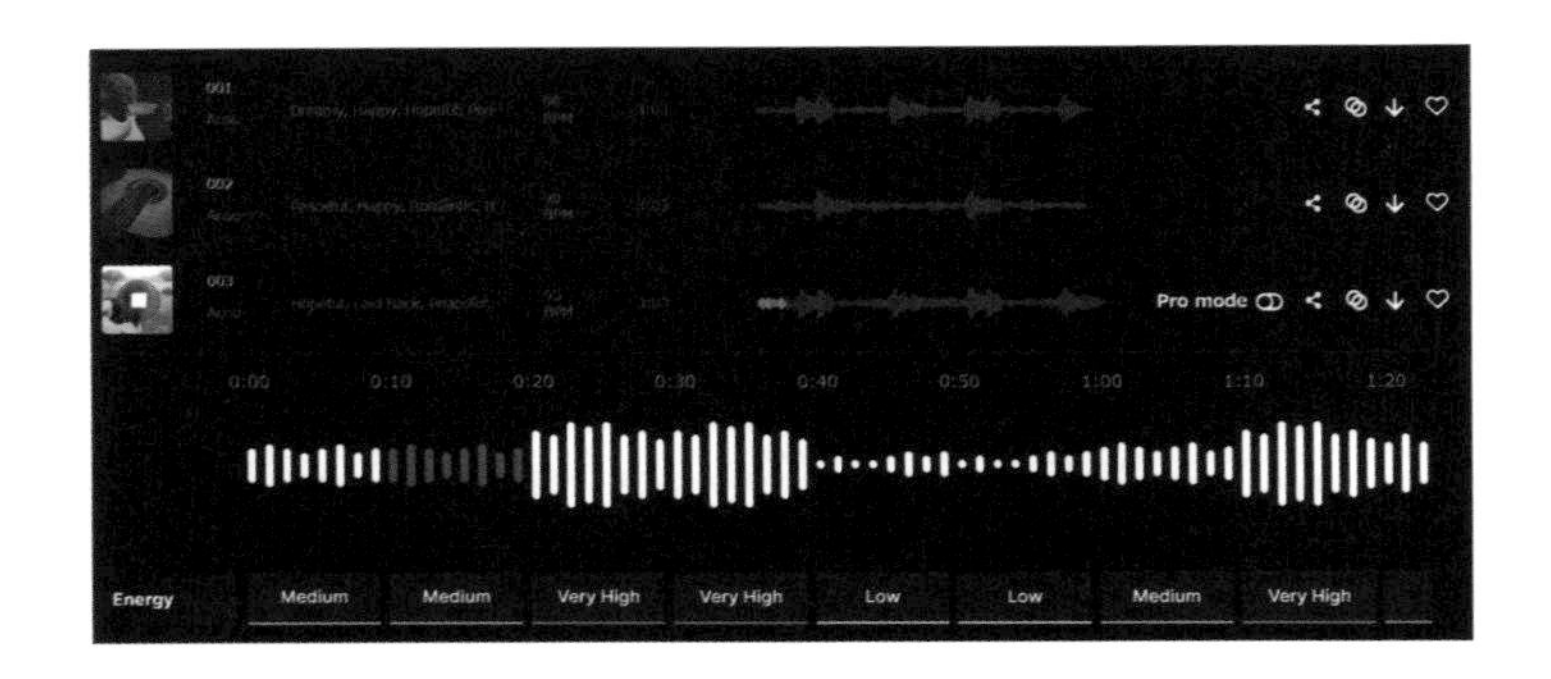

https://soundraw.io/ja

さらに生成された音楽に対して、各パートの音量など細かな微調整をすることもできます。

例えば広報用などの対外的に公開する動画を作る際に、動画の雰囲気に合う、著作権の問題がないBGMを探すことに苦労したことがある人がいるかもしれません。

その点、SOUNDRAWでは様々な雰囲気に合わせた音楽を自動生成でき、有料会員（月1、990円などのプラン）になれば商用利用可能な形でダウンロードできるようになっています。なお、「音楽が作品の主目的」になるような利用の仕方は認められておらず、BGMとして利用することが条件となっています[注13]（詳しくは、SOUNDRAWのウェブサイトを参照して

図1-33　SingSongのイメージ画像

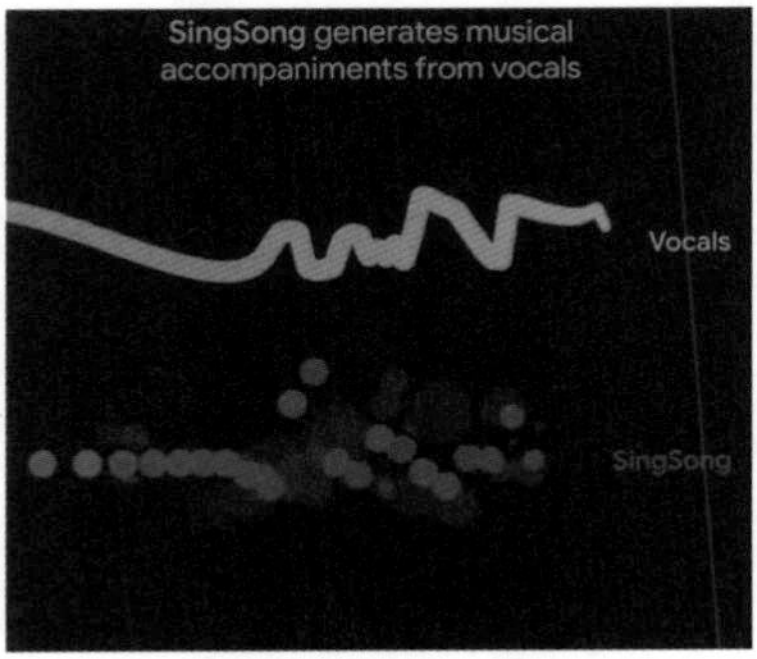

https://twitter.com/chrisdonahuey/status/1620232090066497536

ください)。

歌声から伴奏を生成するSingSong

２０２３年１月に、グーグルがまた楽しそうなＡＩを発表しました。

ボーカル音声だけをインプットして、伴奏を自動的につけてくれるというＡＩです。

発表したウェブサイト[注14]では、様々なサンプルが聴けるようになっています。伴奏の精度は驚異的です。ヒップホップ、ラップ、ディスコ、ゴスペル等、様々なジャンルの音楽に、とても自然な伴奏がつけられ

（注13）https://soundraw.io/ja

（注14）https://storage.googleapis.com/sing-song/index.html

ています。

現時点ではこのＡＩは一般公開されていませんが、ＳＮＳに公開されている内容によると今後数か月のうちに一般公開される可能性があります。

公開されれば、ぜひ自分自身の声で試してみたいサービスです。

音楽生成ＡＩの発展の可能性

アーティスト作品としての音楽については、著作権に関するルールが比較的厳しく決まっています。日本ではJASRACですが、世界各国に著作権管理団体があり、楽曲の使用料を徴収して著作権者（アーティスト）へ分配する仕組みができあがっているのです。

音楽生成ＡＩのサービス側も、著作権に関する課題については注意しながらサービスを運営しているようです。

音楽作品については、ＡＩが完全に代替するのが難しい分野でしょう。

ファンは、音楽そのものだけを楽しんでいるわけではなく、アーティストの生きざま、個性、発言、雰囲気、色々な要素を含めて音楽を楽しんでいます。その点、どんな素晴らしい音楽を作成できたとしても、その作成者がＡＩということが分かれば、音楽を楽しむ人にとって少し興ざめです。

一方で、ＢＧＭ等の分野については音楽生成ＡＩを活用できるシーンが多いでしょうし、楽曲作成のように個人で楽しむというシーンでもＡＩを使うことで趣味の幅が広がりそうです。

人間のアーティストと、音楽生成ＡＩと、適材適所でうまく住み分けが進んでいくことを期待します。

2

次々に登場する実用的なサービス

第1章では、最新の生成ＡＩが実現できることについて、技術的な達成度合いに焦点を当てて説明しました。

本章では、私たちの仕事や生活の中で、これらの生成ＡＩをどのように活用できるかについて説明します。

生成ＡＩの活用方法は、決して個人で楽しむ範囲に留まりません。実ビジネスの様々なシーンで役に立ちますし、私たちの生活の中でも不可欠なものとして浸透していくでしょう。

そして、多くの人が便利に使っているうちに、次第に**破壊的なパワー**となって既存ビジネスを駆逐していく可能性があります。既にそのような可能性を秘めた実用的なサービスが、地中から顔を出したタケノコのように群生しているのです。

そのようなサービスの中から、特筆すべきものをご紹介します。

生成AIを自社サービスに組み込む大手企業たち

いち早く検索エンジンに組み込んだマイクロソフト

２０２２年11月に登場したChatGPTは世界中を驚かせましたが、その3か月後には、さらなる驚きが待っていました。

２０２３年2月に、マイクロソフトが自社の検索エンジンBing（ビング）に組み込んだ、文章生成ＡＩ（**Bing AIチャット**）を公開したのです。

実は、文章生成ＡＩの登場時から多くの人から期待されていた文章生成ＡＩの活用先として、**検索エンジンへの利用**がありました。

検索エンジンは情報を探すために利用するものですが、自分がどのような情報を探しているかを的確に表現することが難しく、得られるものが的外れな回答になってしまうことも多くあります。何度も検索キーワードを変えることで、多数のウェブサイトを確認してようやく求めていた情報にたどり着くといったように、求める情報を見つけることに労力と時間がかかっていました。

文章生成ＡＩを使えば、日常使っている話し言葉で検索したい情報を指定するだけで、意図を的確に読み取って求める回答を返してくれます。しかも、リンク先のウェブサイトを見なくても、直接的に文章で回答が得られるのです。このような特徴を持つので、文章生成ＡＩは、検索エンジンの利便性を革新するということが期待されているのです。

なお、マイクロソフトがBing AIチャットを発表した当初は、サービスの裏側にある生成ＡＩの名前は伏せられていました。その後、２０２３年3月にGPT-4が一般公開された際に、Bing AIチャットにもGPT-4が組み込まれていることが明かされました。もともと、マイクロソフトは早い段階からOpenAIの技術に目をつけて、パートナーシップ契約を結んで協業を進めていました。そして、最先端のGPT-4を、自社の検索サービスに組み込むことに成功したのです。

早速、その実力を紹介していきましょう。

図2-1　Edgeの画面上にある「b」ボタン

ブラウザに組み込まれた生成AI

2023年3月中旬には、マイクロソフトのウェブブラウザ（Edge）自体にAIチャット機能が組み込まれ、一般利用できるようになりました。ぜひ、図2-1の場所にある「b」ボタンを押して、利用してみてください。

質問に根拠付きで回答する

まずは、小手調べに前章でChatGPT（GPT-3.5）に質問したものと同じ質問をしてみたところ、図2-2の回答を得ました。基本的に、回答内容は正確であり、ChatGPTと似たような文章となっています。

図2-2　Bing AIチャットの回答

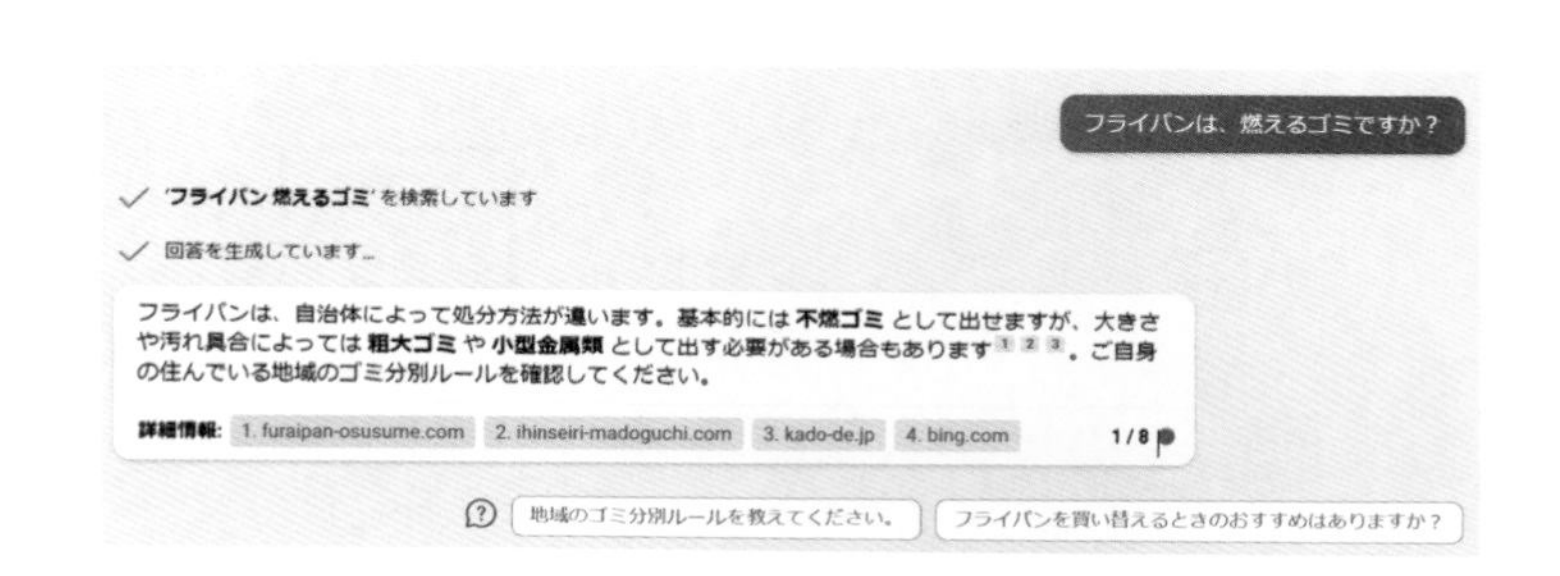

特筆すべきなのは、それぞれの**情報の出典が示されている**ことです。実際にその「詳細情報」に書かれているサイトを見てみると、フライパンの処分方法について詳しい解説が載っていました。

ChatGPTは、正確な回答をしているときと、誤った回答をしているときの区別がつかないという点がデメリットでした。

一方で、Bing AIチャットについても回答内容自体が誤っている可能性はあるのですが、それぞれの情報の出典も教えてくれるので、そのサイトを見ることで情報の正しさをすぐに判断することができます。これは、Bing AIチャットの大きなメリットです。

図2-3　最新の情報を含んだ回答

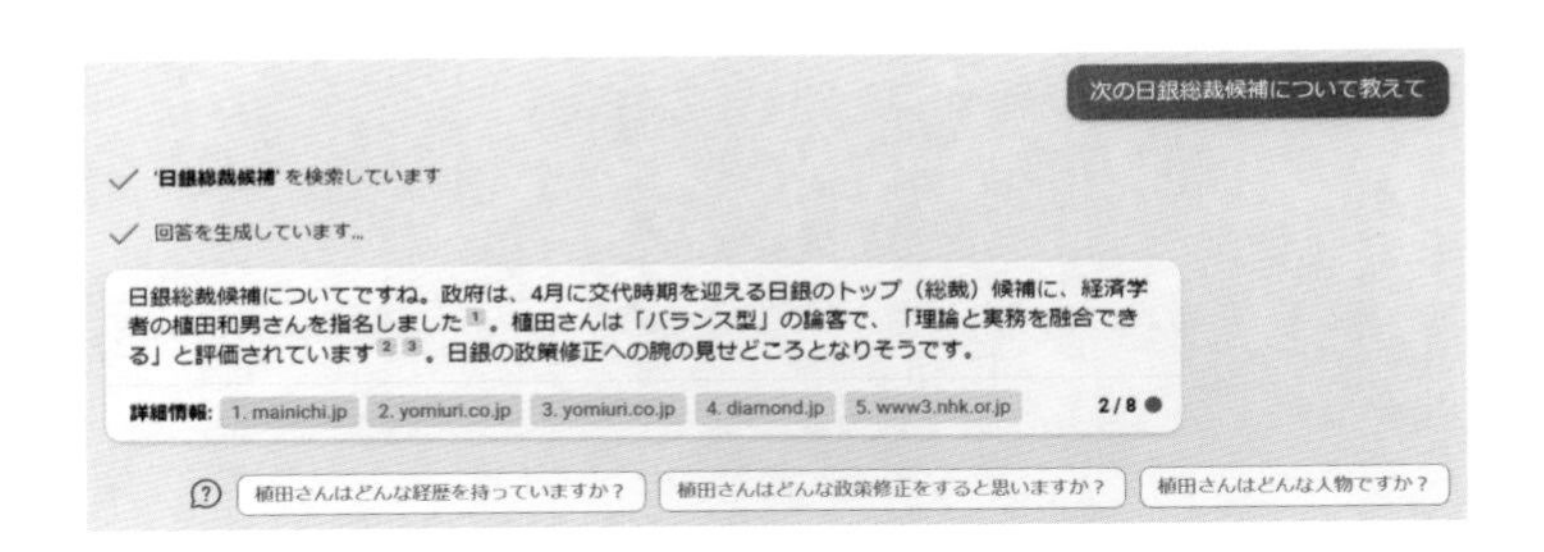

最新の情報にも答えられる

最初に紹介したChatGPTでは、基本的に過去に学習した内容に基づいて回答を作成するので、最新の情報には対応できないという制約がありました。

一方でBing AIチャットは、質問中の重要なキーワードをもとにネットで検索を行い、その検索結果も踏まえて回答を作成しています。

そのため、図2-3のように日銀総裁候補について尋ねても、最新の情報を反映した回答を作成することができるのです。しっかりと、植田和男さんという正解を提示し、さらに植田さんの紹介も的確に含まれています。

同じ質問をChatGPTにもしましたが、古い情報を答えるだけであり、植田和男さんの名前は出せませんでした。

このように最新の情報について的確に答えられるというのも、Bing AIチャットの大きなメリットです。

要点を正確にまとめられる

Bing AIチャットは、調査したいことに対して解説記事を書くことにも優れています。
また、回答の最後で、さらに回答を詳細化するための再質問をしてくれる場合も多く、その質問に答える形で論点をどんどん深掘りしていくこともできます。
例えば、本書の主題そのものである「生成ＡＩ」について、Bing AIチャットに執筆を依頼してみると、図2-4のように、かなり具体的なところまで調べて、その要点をまとめてくれています。

ちなみに、本書の執筆作業については、まだ99％が人力です。Bing AIチャットと対話しながら調べものをする機会は多かったですし、執筆に際してもＡＩが提示してくれる構

図2-4　解説記事を書く

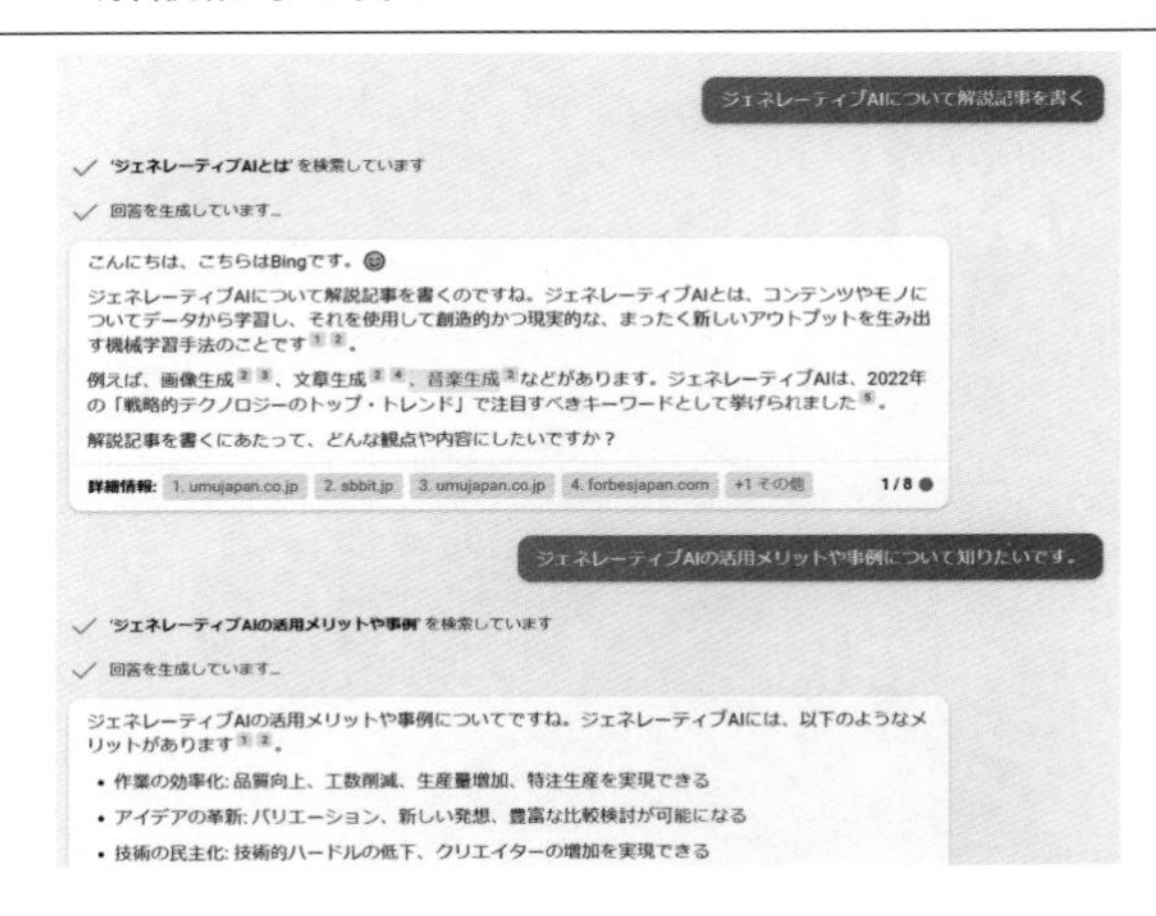

成を参考にした部分はありますが、中身については人間のプライド（?）にかけて、自分自身で執筆しています。

しかしながら、筆者のような解説ライターの仕事は、今後急速にAIに代替されそうですね。1冊の書籍を作るという仕事すら、テーマを設定するだけでAIが実施できるようになるかもしれません。

その他にも、ChatGPTができることはBing AIチャットもほとんどこなすことができますし、回答内容を見るとBing AIチャットのほうが分かりやすいと思えることが多い印象でした。

本書を執筆している時点ではまだプレ

ビュー版という位置づけでしたが、今後もどんどん進化するはずです。

負けじとグーグルもBardを展開

生成ＡＩの開発を進めていたのは、OpenAIだけではありません。

特に、ChatGPTやBing AIチャットの躍進を見て、強いあせりを感じているのがグーグルです。

グーグルは、検索サービスを開始してから20年以上にわたって、検索サービスの圧倒的なトップとして君臨しています。マイクロソフトも検索サービス（Bing）を展開していますが、グーグルの後塵を拝していました。

そこに、彗星のようにOpenAIのGPTの技術が登場しました。

そして、前述のように、早くからこの技術に目をつけていたマイクロソフトが、GPTの技術を使ってBing AIチャットを公開してしまったのです。

文章生成ＡＩの技術を使えば、検索サービス自体の利便性を大幅に向上させることができますし、さらに将来的には個人の考え方や生活範囲に合わせて、情報を提供するアシスタント型のＡＩなど、これまでの検索サービスの枠を超えた革新的なサービスを提供できる可能性があります（第４章で詳述します）。

これまで検索サービスの王者であったグーグルは、この事態を深刻な脅威と認識して、「**コード・レッド**」を発動したと報じられています。コード・レッドとは、病院において「火災等が発生して緊急避難が必要な状態」を意味しています。まさに、事業の根幹を揺るがす非常事態になったと認識しているのです。

そもそも、OpenAIのGPTの技術は、実はグーグルの開発成果が元になっています。GPTとは、Generative Pre-trained Transformer（生成的になるように事前訓練を行ったトランスフォーマー[注1]）の略語なのですが、このトランスフォーマーの技術自体はグーグル

（注１）もともと機械翻訳用に作られた自然言語モデル。文章生成ＡＩの中心的な機能を担っている。言語の学習方法について様々な工夫を凝らすことで、従来のモデルよりも大幅に性能を改善することができた革新的なモデルです。

が機械翻訳のために開発したものなのです。

そして、グーグル社内で研究していた技術（トランスフォーマーをベースに開発されたLaMDA（ラムダ）という技術）を急ぎ足でリリースし、２０２３年2月に**Bard**（バード）というＡＩを自社検索サービスに組み込むことを発表しました。

サービスが発表されたときに公開された、Bardの画面イメージが図2-5ですが、少々物議をかもすことになりました。

このやりとりは、「ジェイムズ・ウェッブ宇宙望遠鏡[注2]」に関するものです。このBardのデモの中では、この有名な望遠鏡についての概要を回答しているのですが、実は回答の一部に誤りが含まれていました。

「ジェイムズ・ウェッブ宇宙望遠鏡が太陽系外の惑星を初めて撮影した」と答えているのですが、実際にはもっと前に違う望遠鏡で撮影されていたのです。

もちろん現在の文章生成ＡＩのレベルから考えると、このような部分的な誤りが入ることは無理もありません。

しかし、グーグルの期待の星であるBardの発表会において、このような初歩的なミスが修正されていなかったという点が失望を呼び、グーグルの持ち株会社（アルファベッ

図2-5　Bardの画面イメージ

what new discoveries from the James Webb Space Telescope can I tell my 9 year old about?

Your 9-year old might like these recent discoveries made by The James Webb Space Telescope (JWST):

- **In 2023, The JWST spotted a number of galaxies nicknamed "green peas."** They were given this name because they are small, round, and green, like peas.
- **The telescope captured images of galaxies that are over 13 billion years old.** This means that the light from these galaxies has been traveling for over 13 billion years to reach us.
- **JWST took the very first pictures of a planet outside of our own solar system.** These distant worlds are called "exoplanets." Exo means "from outside."

These discoveries can spark a child's imagination about the infinite wonders of the universe.

https://blog.google/technology/ai/bard-google-ai-search-updates/

ト）の株価は8%も下落し、時価総額で約15兆円を失ったと報道されています。

2023年3月に、英国と米国でBardが公開されました。4月には日本でも公開され招待制でベータテストに参加できるようになりましたが、英語がメインとなっており日本語対応が不十分な状況でした。5月についに日本語への対応が完了し、誰でも使えるようになりました。

今後さらにBardが進化して、私たちを驚かせてくれることに期待します。

（注2）2022年に観測を開始した最新鋭の宇宙望遠鏡で、貴重な銀河の写真撮影等を次々に成功させています。

もちろんグーグルだけでなく、ＩＴ関連各社が生成ＡＩの開発にしのぎを削っています。メタ（旧社名Facebook）も、生成ＡＩに特化した専門組織を発足していますし、中国では、百度（バイドゥ）やアリババ集団などの超大手ＩＴ企業が、生成ＡＩの開発に入っています。

また、数多くのスタートアップ企業も、続々とこの分野に参入してきています。

個人の情報発信のための文章作成支援

検索エンジン以外にも、文章生成ＡＩの応用範囲は数多くあります。

文章生成ＡＩについては、当然ながら文章を生み出す仕事そのものに活用することが想定されます。

今後、記事を執筆するライターの仕事が激減してしまうかもしれません。

note AIアシスタント（β）

まずは、note[注3]の事例を見てみましょう。

noteは、クリエイターが文章や画像、音声、動画を投稿して、ユーザーがそのコンテンツを楽しんで応援できるメディアプラットフォームです。

基本的にはブログと同様のサービスなのですが、デザインが洗練されていて読みやすいという特徴に加えて、無料記事だけでなく有料記事を配信することで収入を得ることができるという仕組みが人気となり、非常に多くの人がnoteを使った情報発信を行っています。

ビジネス、趣味、生活の知恵など、様々な分野で豊富な記事を楽しむことができます。

そのnoteが、文章生成ＡＩを組み込んだサービスを開始することを、２０２３年2月に発表しました。まだ、ベータ版として先行ユーザーを限定的に募集しているという段階なのですが、その機能のイメージが公開されました。

ＡＩがアシストしてくれる機能として、次の5つが用意されています。

- **機能１**：記事の切り口を提案
- **機能２**：記事タイトルを提案
- **機能３**：概要から目次を作る

（注3）https://note.com/

・**機能４：プレスリリースの構成を作る**
・**機能５：童話の案を作る**

これらの中から、「機能１：記事の切り口を提案」という機能を見てみましょう。

「経営している料理教室でのできごとをブログ形式で紹介したい。」

利用者が入力するのは、たったこれだけです。すると、ＡＩアシスタントが記事の方向性を具体的に提案してくれるのです。

教室参加者の生の声を載せる、イベント写真をスライドショーにする、トレーナーのインタビュー記事を作る、スポンサーと生配信を行う、特別なキャンペーンを実施するというように、料理教室であるという前提も理解した上で、具体的な案を出していることが分かります。

ＡＩアシスタントのサービスを発表した直後に、note社の株価は急騰し、数日で1.5倍もの価格となりました。このサービスに対する期待の高さが伺えます。

また、このサービスは、GPT-3の技術を活用しています。

図2-6　note AIアシスタント(β)の機能

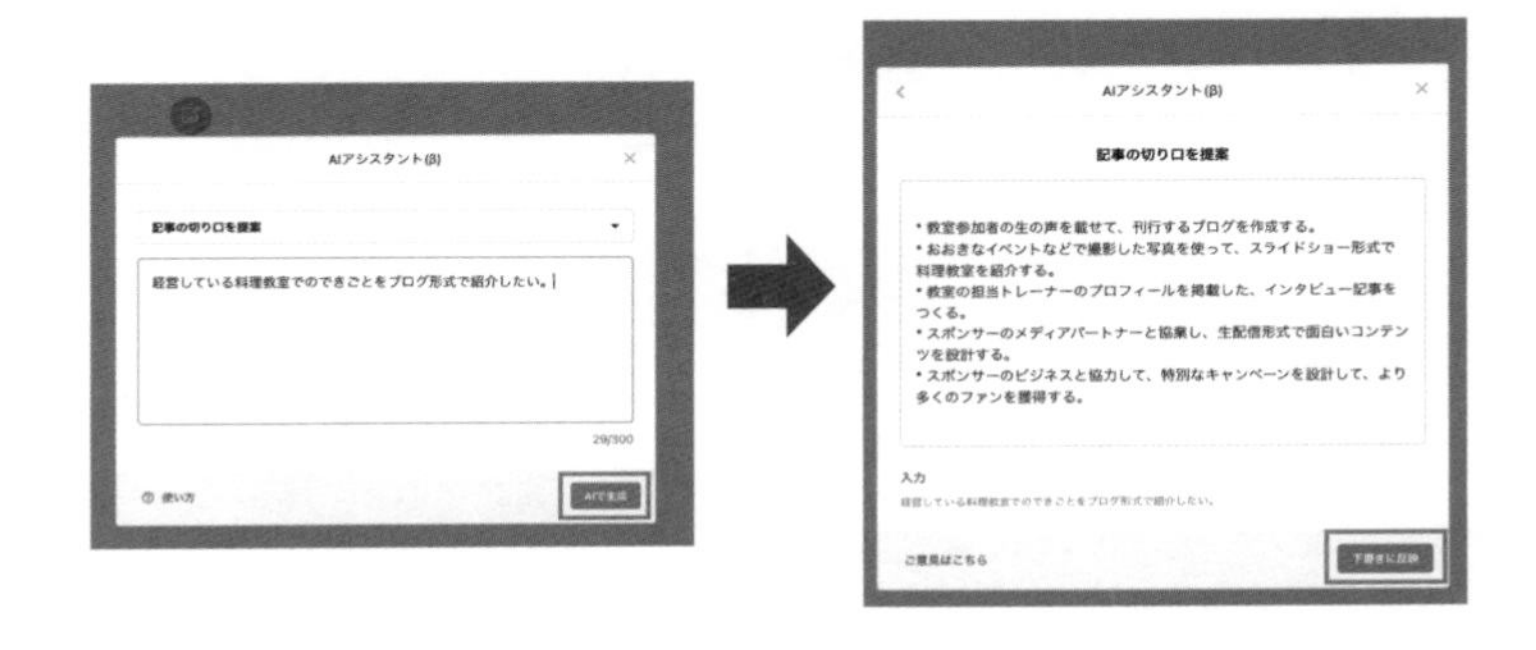

https://www.help-note.com/hc/ja/articles/15386354993561-note-AIアシスタント-β-について

以降に紹介するその他のサービスも、ほとんどがGPTの技術をベースとして、独自のカスタマイズを行って実現されています。GPTの影響の大きさが感じられます。

Notion AI

Notion[注4]は統合的なメモ管理を行えるサービスで、単純な個人のメモツールに留まらず、チームでタスク管理、ナレッジ共有等を行えるものです。直感的に操作できることで、利用者が増えています。

そのNotionも、文章生成ＡＩを組み込んだサービスを始めており、２０２２年11月のアルファ版公開を経て、２０２３年２月に正式リリースしました。

（注４）https://www.notion.so/

図2-7　Notion AIの機能

［入力内容］
「生成 AI について解説記事を書く」

［自動生成された記事］

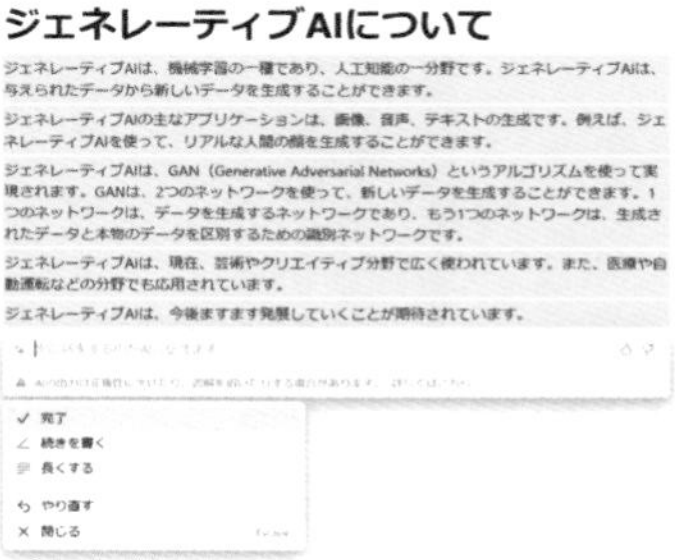

ジェネレーティブAIについて

ジェネレーティブAIは、機械学習の一種であり、人工知能の一分野です。ジェネレーティブAIは、与えられたデータから新しいデータを生成することができます。

ジェネレーティブAIの主なアプリケーションは、画像、音声、テキストの生成です。例えば、ジェネレーティブAIを使って、リアルな人間の顔を生成することができます。

ジェネレーティブAIは、GAN（Generative Adversarial Networks）というアルゴリズムを使って実現されます。GANは、2つのネットワークを使って、新しいデータを生成することができます。1つのネットワークは、データを生成するネットワークであり、もう1つのネットワークは、生成されたデータと本物のデータを区別するための識別ネットワークです。

ジェネレーティブAIは、現在、芸術やクリエイティブ分野で広く使われています。また、医療や自動運転などの分野でも応用されています。

ジェネレーティブAIは、今後ますます発展していくことが期待されています。

完了
続きを書く
長くする
やり直す
閉じる

図2－7のように、具体的に記事を書いてくれます。

もちろん、ChatGPTやBing AIチャットでも同様のことができます。ですが、専用のサービスではないNotionという様々な情報共有が行える統合ツールの中で、自然にＡＩの支援を受けることができるという点が、大きな特徴になっています。

この他にも、書いた文書を改善する、文章の語調やトーンを変更する、文章量を自在に変更する（要約／膨張）、専門用語を分かりやすく書き直す、表現をシンプルにするなど、様々な用途でＡＩを使えるようになっています。

このサービスも、note AIアシスタント

(β)と同様GPT-3の技術を活用しています。

広告記事の作成支援

ウェブメディアを運営する企業は、**SEO対策**（検索サイトで上位表示させるための対策）のために、多数の記事を載せています。このために、ライターを雇って執筆してもらうことが不可欠でした。

従来の技術では、執筆をAIに任せることは現実的ではありませんでした。生成した記事が文章として不自然であり、他のサイトからコピーした文章が入り混じることもあります。当然ながら著作権の問題が発生しかねないので、そのまま情報公開することはできないですし、内容面でのコピーが多いという点はSEO対策の観点からも問題でした。

しかし、この目的に特化した文章生成AIが発展し、他サイトからのコピーではなくオリジナルの文章として自然な文章を出力できるようになっています。自動生成した記事でもＳＥＯ対策として有効であるため、人間のライターを雇う代わりに、ＡＩに任せるということが現実的になっています。

Jasper

そういったことができるサービスの一例が、Jasper[注5]です。

Jasperを使うと、ウェブサイトの広告記事、ソーシャルメディアへの投稿記事等に使う文章を自動生成できます。

もちろん一般的な文章生成ＡＩでもこのようなことはできますが、Jasperはマーケティング用途に特化した様々な機能を持っています。例えば、コンテンツを作るためのテンプレートが50種類以上用意されていて、ブログ記事、Facebook広告、製品レビュー記事といった目的に合わせて選択できます。子どもに説明するためのテンプレートという、分かりやすい表現を目指したものもあります。

例えばAIDA（アイダ）フレームワーク[注6]に基づくテンプレートを選び、次の３点を入力するだけで、記事を生成してくれます。

①企業名／製品名

②製品の説明

③文章のトーン（カジュアル、プロフェッショナル等）

Jasperの強みは、広告を載せるメディアの特性を踏まえて、短い言葉でありながらも効果的な文章を作成できることです。そして、SEO対策についても十分に配慮されています。

また、Grammarlyという文法チェックサービスとも連動していて、スペル間違いはもちろんのこと、言い回しが不自然な部分を改善することもできるようになっています。

もちろん、インプットに使う言葉の選び方によって、良い記事ができることもあれば、悪い記事になってしまうこともあります。

最終的には、人が判断して良い記事を選び出す必要がありますし、良い記事を生み出

（注5）https://www.jasper.ai/

（注6）AIDAは、消費者が商品を認知してから購買に至るまでのプロセスを、Attention（認知）、Interest（興味）、Desire（欲求）、Action（行動）に分けたフレームワークです。このフレームワークに沿った文章を、自動生成することができます。

図2-8　Jasperの機能

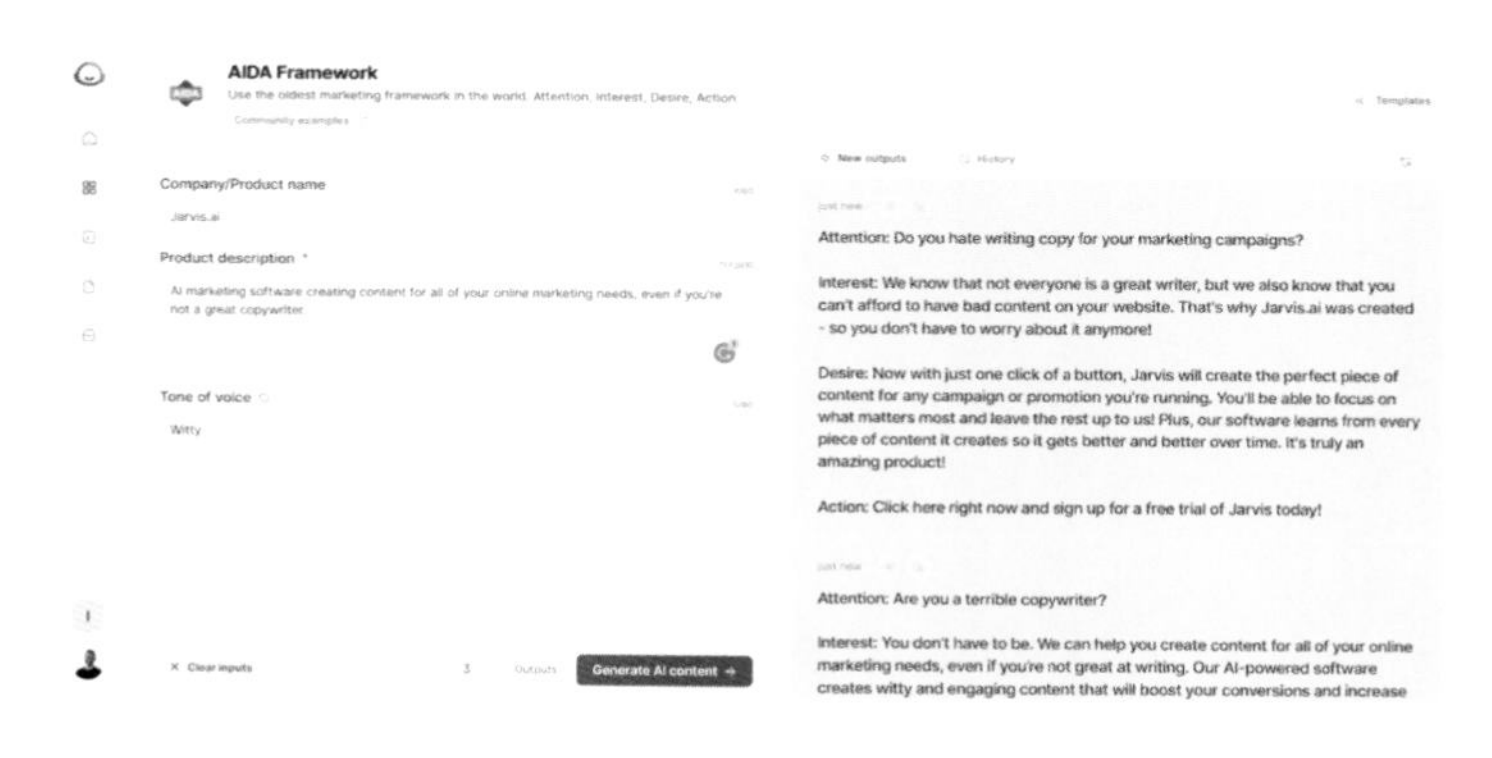

https://www.jasper.ai/blog/ai-writing-software

すためにインプットを試行錯誤し、出力された記事を手修正するという作業も必要でしょう。

しかし、何もないところから記事を作成することに比べれば、はるかに小さな労力で良質の記事を生成できるでしょう。

Jasperは、日本語を含む29言語に対応しています。月額料金29ドルからプランが用意されていて、生成文章の単語数上限によって料金が異なります。

ウェブメディアの運営企業はもちろんのこと、マーケティング担当者、コピーライター、ブロガー等、幅広い人に役立つツールとなっています。

Jasperも、他のサービスと同様GPT-3

図2-9　Catchyの機能の例

https://ai-copywriter.jp/tools（ログインが必要）

の技術を活用しています。

Catchy

もう1つ同様のタイプの事例を紹介しましょう。

Catchy[注7]というサービスです。Jasperと同様に、様々な目的や媒体に応じた生成ツールが用意されており、その中から目的のものを選ぶことができます（図2-9）。

このサービスのヘルプサイトを見ると、様々な応用例が載っています。

例えば、YouTubeにアップする動画について、タイトルを考えてもらうと、図2

（注7）https://lp.ai-copywriter.jp/

図2-10　YouTube動画のタイトルを作成

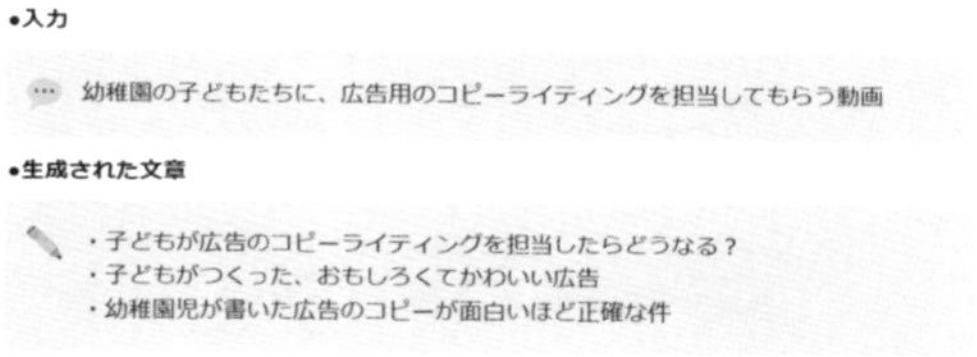

●入力

幼稚園の子どもたちに、広告用のコピーライティングを担当してもらう動画

●生成された文章

・子どもが広告のコピーライティングを担当したらどうなる？
・子どもがつくった、おもしろくてかわいい広告
・幼稚園児が書いた広告のコピーが面白いほど正確な件

https://ai-copywriter.notion.site/YouTube-d1a6580dfcdc4ca888f0ef7c9d80f043（ログインが必要）

-10のように生成されます。

確かに、YouTube向けのタイトルになっていて、視聴者の興味をそそります。3つ目のタイトル（幼稚園児が書いた広告のコピーが面白いほど正確な件）などは、かなりクリックする率が高くなるのではないでしょうか。

これはあくまで一例であり、動画のタイトルだけでなくアイデア、アウトライン、スクリプト、企画案まで生成できますし、キャッチコピー、記事制作、メッセージ（メール等の文章案）など幅広いシチュエーションに対応しています。

利用者登録をすれば無料でお試し利用ができるようになっていて、お試し利用の範

囲を超えれば、月額3、000円からプランが用意されています。

コピーライティングは、センスにあふれた人が経験を積まないとできない仕事というイメージが強い仕事でした。

しかし、このような創造的な領域にまでＡＩが対応できるようになり、十分実用に耐えるような水準で文章を作ってくれるようになっています。

まだ、現時点ではプロのライターのほうが優れていると言えますが、それも時間の問題なのかもしれません。チェスも将棋も囲碁も、もはや人間はＡＩに勝てなくなってきています。文章生成についても、ＡＩの進化が加速度的に速くなっていると言えるでしょう。

そして、そんなCatchyもGPT-3の技術を活用しているのです。

応用の可能性はアイデア次第

プレゼン資料の作成

文章生成ＡＩは、単純に文章を作成するだけでなく、業務や日常生活での様々な作業にも応用することができます。

例えば、プレゼン資料を作るという作業を考えてみましょう。

あなたが講演を依頼されて15枚ほどのプレゼン資料を準備しなければならないとき、その資料の準備に何時間かかるでしょうか。

数時間から、10時間以上をかけて準備するという人が多いでしょう。

しかし、このようなプレゼン資料も、文章生成ＡＩを応用して超高速で作成できるサービスがあるのです。ものの３分もあれば15枚のスライドが完成してしまいます。記載する内容を自分で考える必要はありません。プレゼン資料のテーマを、**短いテキストで入力するだけ**でいいのです。

しかも、自動生成されたスライドの内容が、かなり的を射ているのです。自分が何も指示していない観点から様々な言葉を集めてきて、プレゼンの順番等も考慮してまとめてくれるのです。

Sendsteps

スライドの自動作成の一例として、Sendsteps[注8]を使ってみましょう。指定した情報は、図２-11の通りです。たった、これだけです。すると、まずプレゼンのタイトルを５つ提案してくれます。

かなり良い感じのタイトルが提案されています。今回は３番目の「そろばんからＡＩまで」を選んでみました。すると、ものの数十秒程度で、15ページのスライドが完成しま

（注８）https://web.sendsteps.com/

す（図2-12）。

目次を見ると、ちゃんと時系列に情報が整理されています。20世紀以前、20世紀初頭、20世紀中頃……といった具合です。

そして、それぞれの時代について1枚ずつ解説スライドがあります。

例えば、21世紀初頭については、図2-13のようになっています。この時代に現れた重要なキーワードを正確に記載していますね。

自動生成とは思えないほど、かなり洗練された構成になっています。

そして、このサービス上で生成されたプレゼン内容を修正することもできますし、各ページのレイアウトや見た目を変えることもできます。

このSendstepsのサービスの裏側でも、GPT-3の技術を使っているとのことです。

筆者は色々なテーマでプレゼン資料の自動生成を試してみましたが、どのテーマでもかなり的確にプレゼン内容を生成することができました。特定企業の製品紹介のような公開情報が少ない分野には向きませんが、インターネットに広く情報が公開されている一般的なテーマであれば、かなり良い精度でプレゼン資料を作ることができます。

図2-11　Sendstepsで情報を入力する

［入力内容］

テーマ：コンピューターの歴史
（History of computers）

対象者：学生
（同僚、顧客、学生、友人、その他　から選択）

［入力内容を踏まえたタイトルの提案］

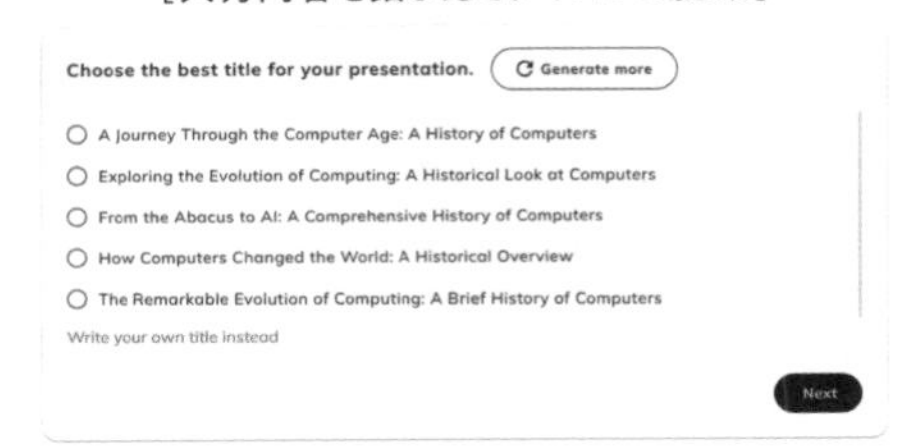

図2-12　スライドが自動で作成される

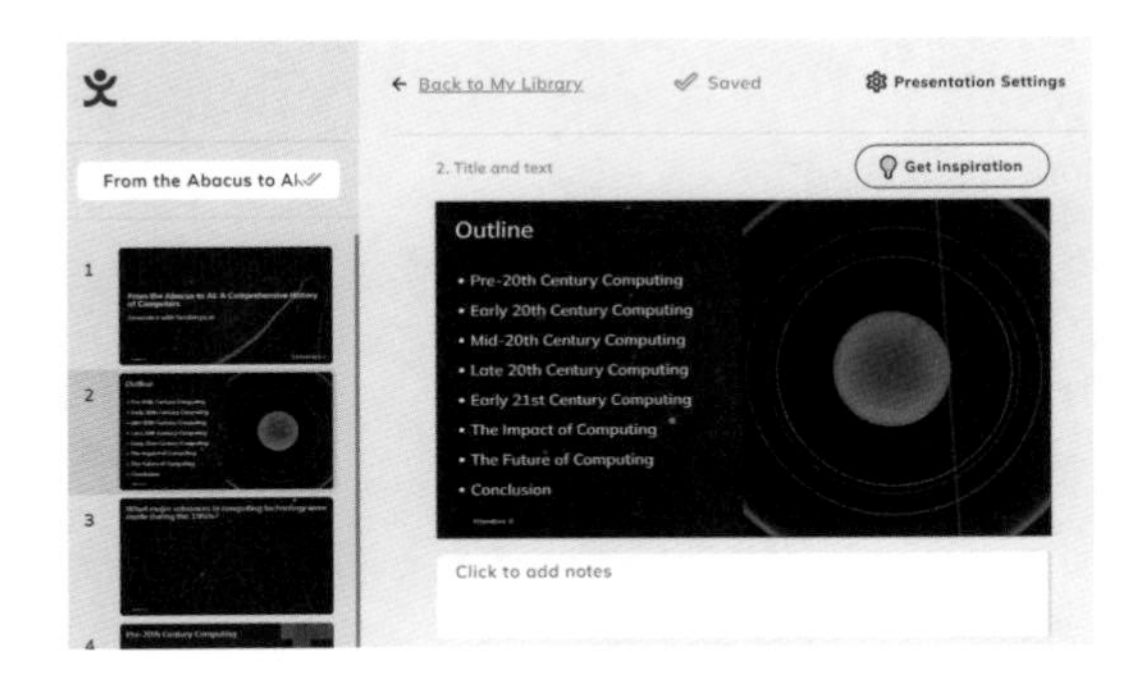

図2-13　自動作成されたスライドの一例

残念ながら、現時点では生成するスライドは日本語には対応していません。とはいえ、英語のスライドがあれば、自動翻訳等を活用して日本語の資料を作るのも簡単でしょう。素晴らしい時代になったものですね。

文書の読解支援

報告書、解説書、ガイドライン、専門分野の難しい言葉が入った長い文書を読むのは大変なことですね。

全部を精読するのは大変なので、飛ばし読みをしながら全体を眺めてみて、自分が興味を持ったところについてはゆっくり読んでみるとか、色々な工夫をしたとしても、やはり概要を理解するのにかなりの時間を必要とするでしょう。

もし、あなたに素晴らしく優秀な部下がいれば、部下の人に要点をまとめてもらうとか、自分が知りたいポイントだけ質問して答えを得るということができます。

文章生成ＡＩは、そんな優秀な部下の代わりも務めてくれるのです。

HUMATA

HUMATA[注9]というサービスを見てみましょう。

手持ちのＰＤＦファイルをアップロードすると、その内容を読み込み、会話形式で質問に対して答えてくれます。

残念ながら、現時点では日本語の文書に対応していないようでしたが、英語のドキュメントで試してみたところ、かなりの精度で的確な答えを返してくれました。

図２－14が、その画面イメージです。専門的な分野なので内容面の解説は割愛します

（注９）https://www.humata.ai/

図2-14　pdfを読み込んで解析する

が、画面左半分に注目してください。筆者が行った質問（青色）と、AIの回答（灰色）のやりとりがあります。

例えば、「この文書の概要を教えて」と質問すると、8行程度の文章で要点を教えてくれます。また、どんどんと深掘りした質問をしても、内容に即した回答を返してくれます。秀逸なのは、回答についての根拠となる箇所についても教えてくれるところです。回答の際に、根拠となる元データの場所も一覧してくれ、そこをクリックすることで該当箇所をハイライト表示することもできます（図2-14右側）。

HUMATAについては、GPTの技術を利用しているかどうかについて、公式サイト等で正式に言及している情報はありませんでした。

ただ、もともと公式サイトのキャッチコピーにも「ChatGPT for your files.」と銘打っていましたし、何らかの形でGPTの技術を応用している可能性が高いです。

SCISPACE

もう1つ、同様の事例を見てみましょう。

SCISPACE[注10]というサイトも文章を読み込ませて質問形式で要点を知ることができるのですが、こちらは学術論文に特化したサービスになっています。

読み込むフォーマットは論文の形式に限定されてしまうのですが、回答の精度はかなり良いようです。

試しに、Transformerという文章生成AIの技術についての論文[注11]を読み込んで、いくつか質問を入れてみました。こちらの質問意図をくみ取って、具体的な内容を回答してくれました（図2-15）。

（注10）https://typeset.io/

（注11）Exploring the Limits of Transfer Learning with a Unified Text-to-Text Transformer
https://arxiv.org/abs/1910.10683

図2-15　論文を読み込んで解析する

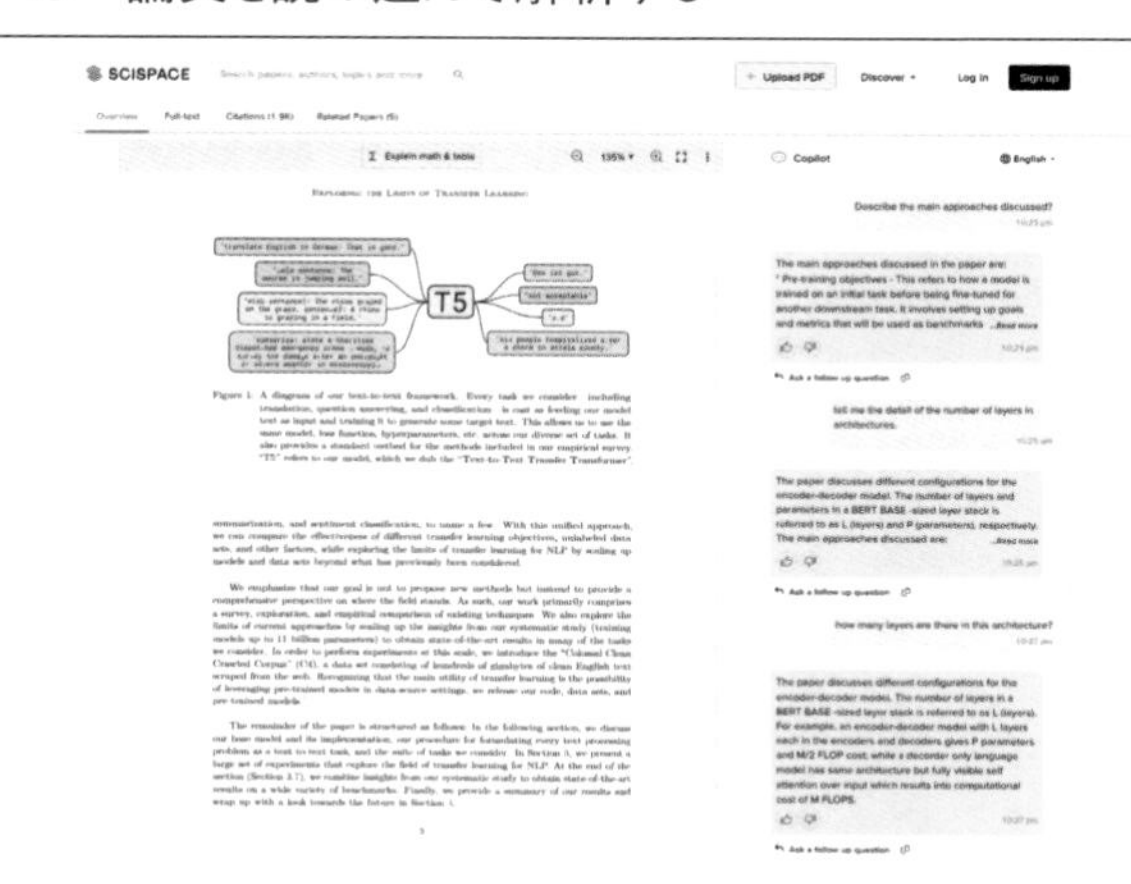

また、論文中のテキストを選択して、その部分の意味を説明してもらうという使い方もできます。SCISPACEもGPT-3の技術を活用しています。

これから、このようなサービスを使って効率的にドキュメントを読む方法が進化しそうです。

このようなサービスで恩恵を受けるのは、専門分野の研究者だけに限らないでしょう。むしろ、一般的なビジネスパーソンや学生の方のように、専門分野の知見を持っているわけではないけれども、書いていることの概要を知りたい、特定の論点への見解を知りたいといった人にとって、ものすごくありがたいサービスになっています。

幅広い応用範囲

ここまで紹介してきたサービスは、OpenAIのGPTの技術（GPT-3、GPT-4等）を使っているものばかりでした。

もともとOpenAIは、その名の通りで**ＡＩ技術をオープンにして幅広い分野に利用してもらうこと**を目指しています。GPTの技術も段階的にではありますが公開を進めており、様々な形でサービス開発者が利用できるようにしています。だからこそ、多くの会社がGPTの技術を応用して、独自サービスを展開することができるようになったのです。

その他にも、文章生成ＡＩを使った新たなサービスが様々な分野で花開いています。簡単にご紹介しましょう。

データ分析

Usechannel[注12]というサービスでは、データベースやExcel形式等のデータを読み込ませた後に、文章形式で指示を行うことで、ＡＩがデータを分析しグラフ等を自動で作成できます。

例えば、「店舗毎の収益は？」、「売上上位３名の営業担当者は？」といった指示を入れると、簡潔にその結果を示してくれますし、グラフの見せ方等も簡単に変えることができます。

外国語学習

英語学習アプリの**スピーク**[注13]では、「ＡＩ講師」とリアルな会話を行うことができます。

「ハンバーガーショップで買い物をする」など様々なシナリオが用意されていて、それぞれに「店員におすすめのバーガーを聞く」といった目標が設定されています。その上で、実際に店員役のＡＩ講師と会話をするのです。

利用者がスマホのマイクに向けて英語をしゃべると、音声認識によって自分が話した言葉が文字として表示され、その内容に対してＡＩ講師が文字と音声で回答してくれます。文章生成ＡＩの技術が活かされているので、学習教材の想定範囲を超えて利用者がしゃべったとしても、その内容に呼応して自然な会話を返してくれます。

そして、利用者がしゃべった英語の文章を、後から採点してくれるのです。もっと良い言い回しがある場合は、それを教えてくれます。

つまり、このシンプルなサービスには、様々なＡＩの技術が詰め込まれているのです。

・音声を認識して文字として表示する技術（speech to text）
・文字で書かれた文章から音声を生成する技術（text to speech）
・話し言葉での自然な会話を実現する技術（文章生成ＡＩ）
・英語文章を採点し、良い言い回しを示す技術（文章生成ＡＩ等）

この数十年間、外国語学習を取り巻く環境は日進月歩で進んできましたが、文章生成ＡＩがまた飛躍的に学習環境を便利にしてくれるでしょう。

その他のサービス

その他にも、カスタマーサービス（顧客からの問い合わせ対応）、商品等のセールス、

（注12）https://www.usechannel.com/
（注13）https://www.speak.com/

市場調査、企業内のナレッジマネジメント、プログラミング、オフィスワーク（Excel等を使う業務）等、様々な分野に応用されることになるでしょう。

文章生成ＡＩの活用は、単に仕事を便利にするという範囲に留まらず、**仕事の在り方を変え、社会全体に影響する**可能性があります。

今後、社会がどのように変わっていくのか、その点については第4章で後述します。

文章生成以外の活用例

画像生成ＡＩのビジネス活用

もちろん生成ＡＩがビジネスとして活用されている例は、文章生成ＡＩが利用されたものだけではありません。

今度は、画像生成ＡＩを中心技術とした事例を見てみましょう。

既にビジネスの現場でも、画像生成ＡＩが様々な用途で使われ始めています。

特に、イラストレーター、アニメーターなど、「絵」を描くことを仕事にしていた人たちにとっては、自分が仕事をする上で便利なツールである一方で、自分の仕事自体を奪われかねないという警戒すべき側面も併せ持っています。

また、写真を撮影するフォトグラファーにも影響は大きいでしょう。

とはいえ、画像生成ＡＩが影響を与えるのは、このような専門能力を持つクリエイターだけに留まりません。広告、書籍出版、プロダクトデザイン等の分野を含めて、ビジネス上の企画立案や文書作成にも幅広く応用されることになるでしょう。

今後、どのように世の中が変わっていくかを知るためにも、最先端の活用事例を見ていきましょう。

アニメの背景に活用

まずは、分かりやすい事例から紹介しましょう。

２０２３年２月にとあるニュースが話題になりました。**アニメの制作**というプロの世界に、画像生成ＡＩがいち早く取り入れられたというニュース[注14]です。

最近のアニメは、人物だけでなく背景描写も非常に精緻であり、統一された世界観に基づいて様々なシーンが美しく描かれています。

そんなアニメの背景に、画像生成ＡＩを活用するという試みが始まっています。

図2-16　AIと人間の共作

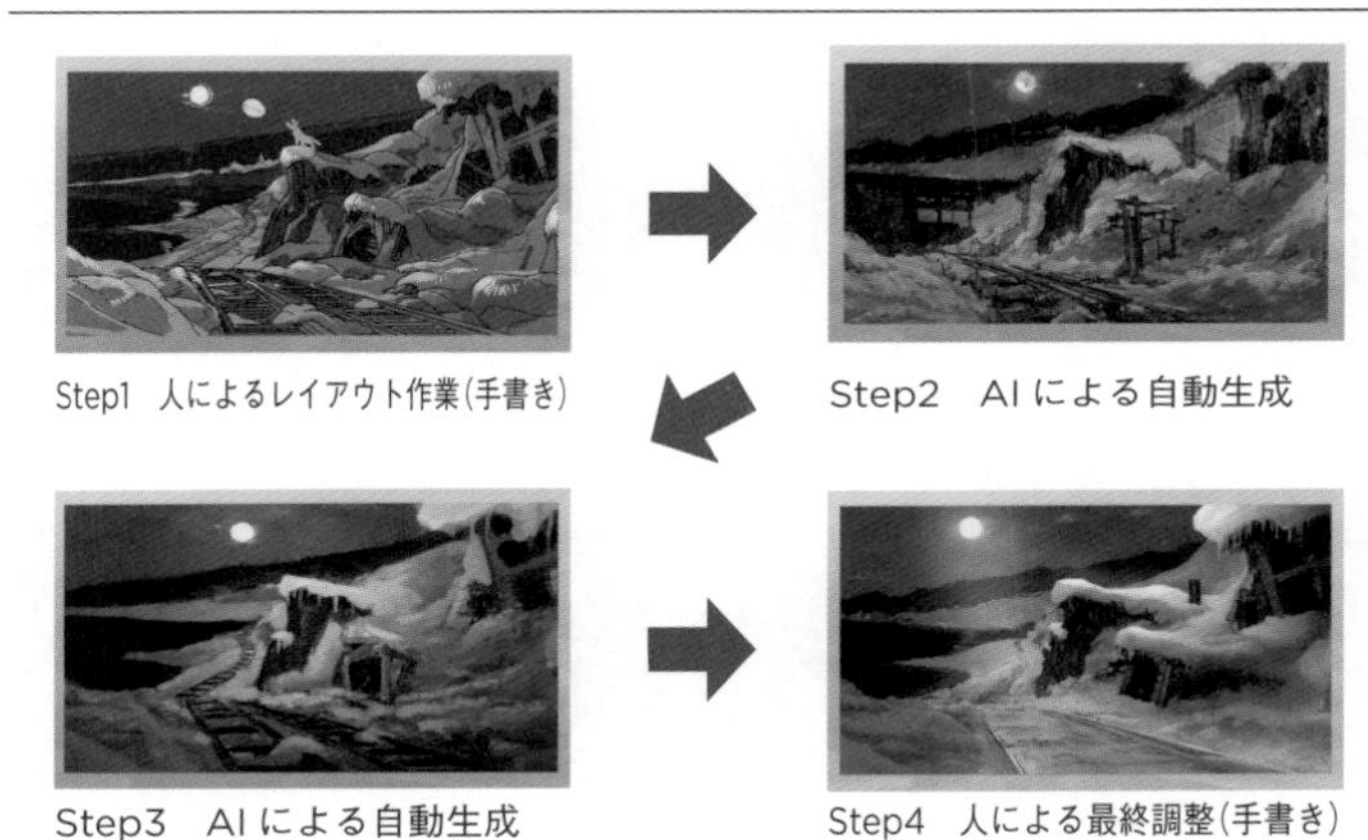

https://about.netflix.com/ja/news/the-dog-and-the-boy

Netflix（ネットフリックス）が公開した「犬と少年」という3分間のアニメでは、アニメ中の全カットの背景にＡＩが生成した画像を使ったということで話題になりました。

とはいえ、完全にＡＩに作画を任せたわけではなく、人間とＡＩの合作となっています。制作の流れについては図２-16にまとめました。

ここで使われた画像生成ＡＩは、このプロジェクトのために開発した独自の生成ＡＩとのことです。一般的な画像生成ＡＩでは、ネットで収集したデータをもとに学習をしており、著作権等の権利関係が明確になっていないという懸念もあるため、そのようなリスクを避けるために独自のＡＩを

（注14）https://www.businessinsider.jp/post-265291

使ったようです。（画像生成ＡＩの著作権への懸念については、第3章で後述します。）

もともと画像生成ＡＩがアニメーターの仕事を奪ってしまうのではないかという懸念が広まっていた中で、実際にこのようなアニメが出来上がったということで、**賛否両論**を巻き起こしました。

慢性的な人手不足になっているアニメーター業界において、ＡＩの力を使って作業を効率化したという点では、これは画期的な事例です。

一方で、「人が絵を描いていない」という部分については、アニメの仕事の尊厳を汚すものだといった反対意見もありました。

どちらの意見が正しいというわけではなく、今までの社会では想定していなかった新しい技術が登場する中で、立場や考え方が異なる人たちの議論が活発になっているという状況です。

ただ、間違いなく言えることは、今後もさらに技術が進化するはずですし、アニメの背景だけでなく、アニメの全体的な制作作業に、ＡＩの活用範囲が広がっていくだろうということです。

広告に活用

画像生成ＡＩは、多くの人を驚かせられる技術です。

文章の指示に基づいて瞬時に絵を描くという点も驚きですが、既存の絵画をもとにして絵画に表示されていない部分を自動生成して、絵を大きくしていくということもできるのです。

このように、技術自体が驚くべきものなので、人々の注意（アテンション）を引きつけることを最初の目的としている**広告**とは、とても親和性が高いと言えます。

既に、実際の広告にも画像生成ＡＩが活用されています。

例えば、ネスレのフランス法人は、ヨーグルトのブランドを宣伝するために、フェルメールの絵画を活用しました。

このブランドの名前はLa Laitière（牛乳を注ぐ女）であり、フェルメールの代表作の1つと同じ名前なのです。

図2－17の写真がその宣伝に使われた絵画ですが、本来の絵は中心部にある囲み部分に過ぎません。その本来の絵の上下左右を、画像生成ＡＩ（DALL-E）で拡張していったのです。実際の広告は動画になっていて、段階的に様々な部分を増やしていく過程がまとめ

図2-17　ネスレが作成した画像

https://www.youtube.com/watch?v=nvGYqGsST6w

られています。

最後に、「時間をかけられた物は、いつも素敵だ」という言葉でまとめられており、ネスレが時間をかけて良いものを作っているという企業メッセージを印象付けています。

ネスレの例は画像生成ＡＩの驚くべき能力をそのまま広告に活かした形ですが、逆転の発想で自社商品の広告に活用した例もあります。

画像生成ＡＩは世界中の情報を学習しているからこそ素晴らしい画像を生成できるわけですが、その学習情報自体に自社製品が数多く含まれていたことをアピールするという発想です。

図2-18　HEINZの宣伝

AIが生成した画像

ハインツのケチャップ

https://www.youtube.com/watch?v=LFmpVy6eGXs

ケチャップで有名なHEINZ（ハインツ）は、画像生成ＡＩに様々なケチャップを描かせてみたところ、**どれもHEINZの自社商品そっくりになった**ということをアピールしています（図2-18）。つまり、この広告はＡＩはケチャップと言えばHEINZだと学習しており、世界中でHEINZが広く使われているというメッセージなのです。

写真やイラストの書籍出版

画像生成ＡＩの技術が広まってから、ＡＩ写真集、ＡＩイラスト集を出版するという動きも加速しています。

既に、Amazonのkindleの電子書籍としても、多数の写真集が出版されています。

AIと銘打っていることが多いため区別はつきますが、実写と変わらないようなクオリティの写真集もあります。

また、画像生成AIを全面的に使ってマンガを作ったという例もあります。「サイバーパンク桃太郎」[注15]という作品が有名になりました。

これまで、写真集に使うような写真を作成するには、撮影するモデルやカメラマンの手配、スタジオ等での撮影、写真の修整といった多くの作業が必要となるため、高いコストと時間がかかっていました。

イラストについても同様です。イラストレーターに依頼して、ラフ案で方向性を決めて、最終仕上げをするというように、コストと時間がかかります。

これに比べて、画像生成AIを使えば圧倒的な低コストで、ほぼ瞬時に写真やイラストを生成できるのです。しかも、クオリティはかなり高く、実写同様、場合によっては実写以上の美しさとなり、読者の興味を強く引きつける作品になります。

写真集やイラスト集という分野では、これまでの業界構造を大きく変えるパラダイムシフトが起こりそうです。

幅広い応用範囲

他にも、画像生成ＡＩは様々な応用範囲が考えられています。

そして、画像生成ＡＩをどう応用できるかは、まさに現在進行形で多くの企業や研究機関が試行錯誤しているところであり、アイデア次第で様々な業界の多くの業務に応用することができるでしょう。


例えば、プロダクトデザインの世界でも、画像生成ＡＩを活用することが期待されています。車のデザイン、おもちゃのデザイン等、様々な製品をデザインする際の最初のアイデア出し（コンセプトデザイン）の段階で、画像生成ＡＩを活用するのです。

建築デザインにおいても、同様でしょう。施主と建築の方向性を決めるときに、ＡＩが生成するエクステリア、インテリア等のデザイン案があれば、イメージを共有することに役立ちます。

映画等のコンテンツや、美術品等の芸術作品についても、チーム内でブレインストーミングをしながらコンセプトを決める際に役立ちそうです。

（注15）https://www.shinchosha.co.jp/book/772573/

このように様々な業界のクリエイターの間で、徐々に画像生成ＡＩを使用する動きが見られますし、今後はもっと日常的に使われるように浸透していくでしょう。

一方で、クリエイターの仕事が奪われてしまうのではないかという大きな懸念も生まれています。

これは一面的には事実ですが、別の一面ではクリエイターの作業効率を上げてより生産的な仕事にフォーカスできるということでもあり、業界構造や求められるスキルセットが変わっていくということです。この点については、第4章で後述します。

マイクロソフトのOffice製品の革新

最後に、本書の脱稿間近に大きなニュースが飛び込んできたので、このニュースについても簡単に触れます。

Bing AIチャット等のサービスを矢継ぎ早に出しているマイクロソフトですが、２０２３年３月についに主力製品の１つであるOffice製品にも生成ＡＩを組み込むことを発表し、デモンストレーションで紹介しました。[注16]

マイクロソフトOfficeとは、Word（文書作成）、Excel（表計算）、PowerPoint（プレゼンテーション）、Outlook（メール）、Teams（チーム共有）といったソフトウェア群のことです。ビジネスパーソン、学生の方を含めて、多くの人が日常的に利用するソフトウェアです。

生成ＡＩを組み込んだ製品は、**Microsoft 365 Copilot**という名称です。コパイロットとは副操縦士の意味であり、利用者がOffice製品を使うにあたって、ＡＩが全面的に支援してくれるというイメージを表しています。

デモンストレーションの内容を、簡単にご紹介しましょう。

Outlookでは、メールを自動的に作成してくれます（図2-19）。

「娘の卒業パーティへの案内文を作る」と指示すれば、具体的な文章を自動生成してくれます。ちょっと文字が多いので短めにしたいと指示すれば、簡潔な文章に変換してくれます。

（注16）https://www.itmedia.co.jp/news/articles/2303/17/news097.html

図2-19　生成AIを用いたOutlookの機能

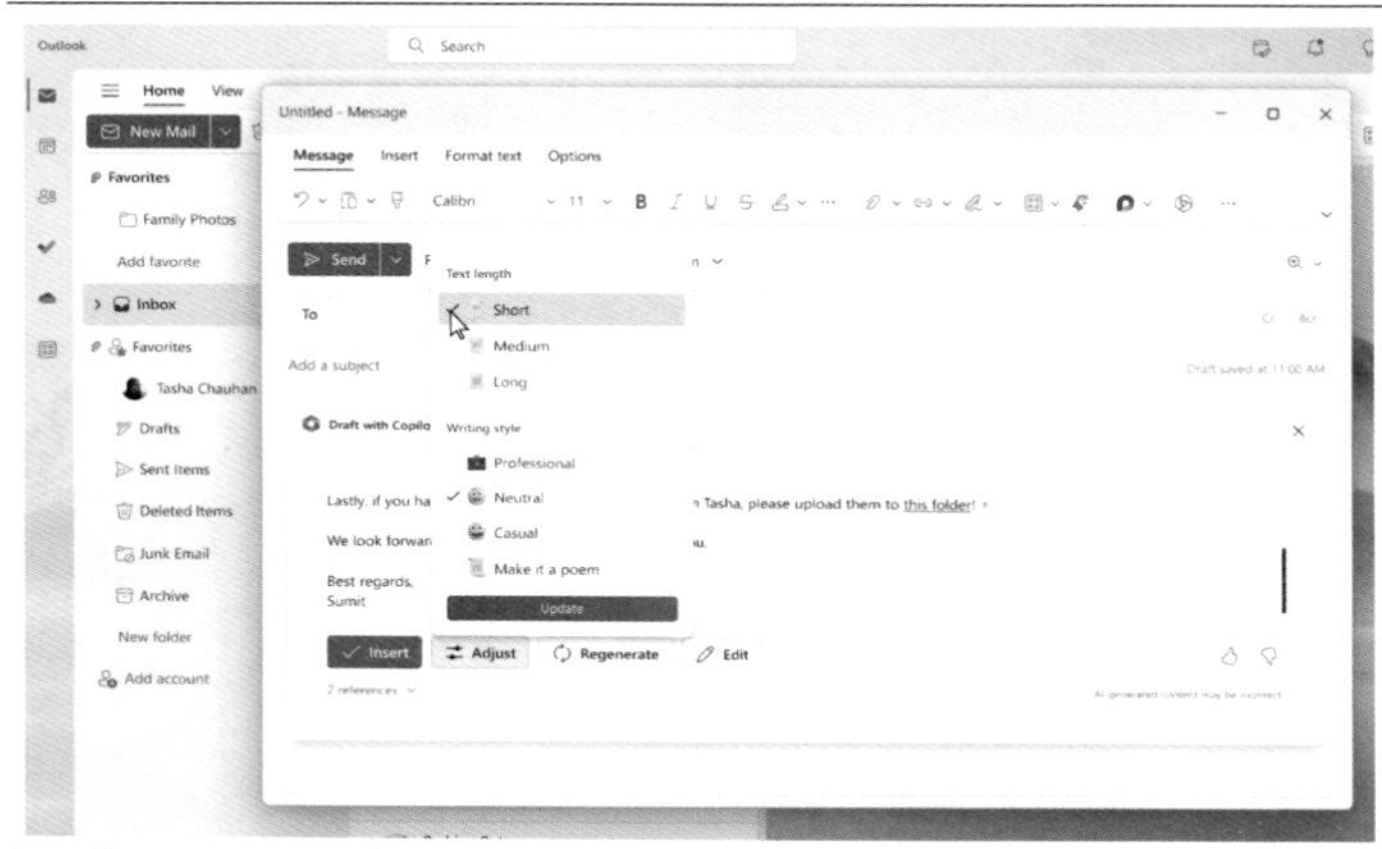

https://www.youtube.com/watch?v=Bf-dbS9CcRU

PowerPointでは、プレゼン資料を自動的に作ってくれます（図2-20）。「娘の卒業を祝うプレゼンテーション」として、娘が卒業する高校の名前やサッカーをプレイしていたこと等を3行程度の文章で指示すれば、写真アルバムから適した写真を自動的にピックアップして、ビデオクリップも挿入した上で、20枚程度のプレゼン資料の作成をしてくれるのです。

もちろん、自動生成された結果を手直しすることもできますし、手直しした部分の文章を分かりやすくリライトさせることもできます。

Wordでは、娘のパーティでスピーチする内容等を自動生成してくれますし、生成

図2-20　生成AIを用いたPowerPointの機能

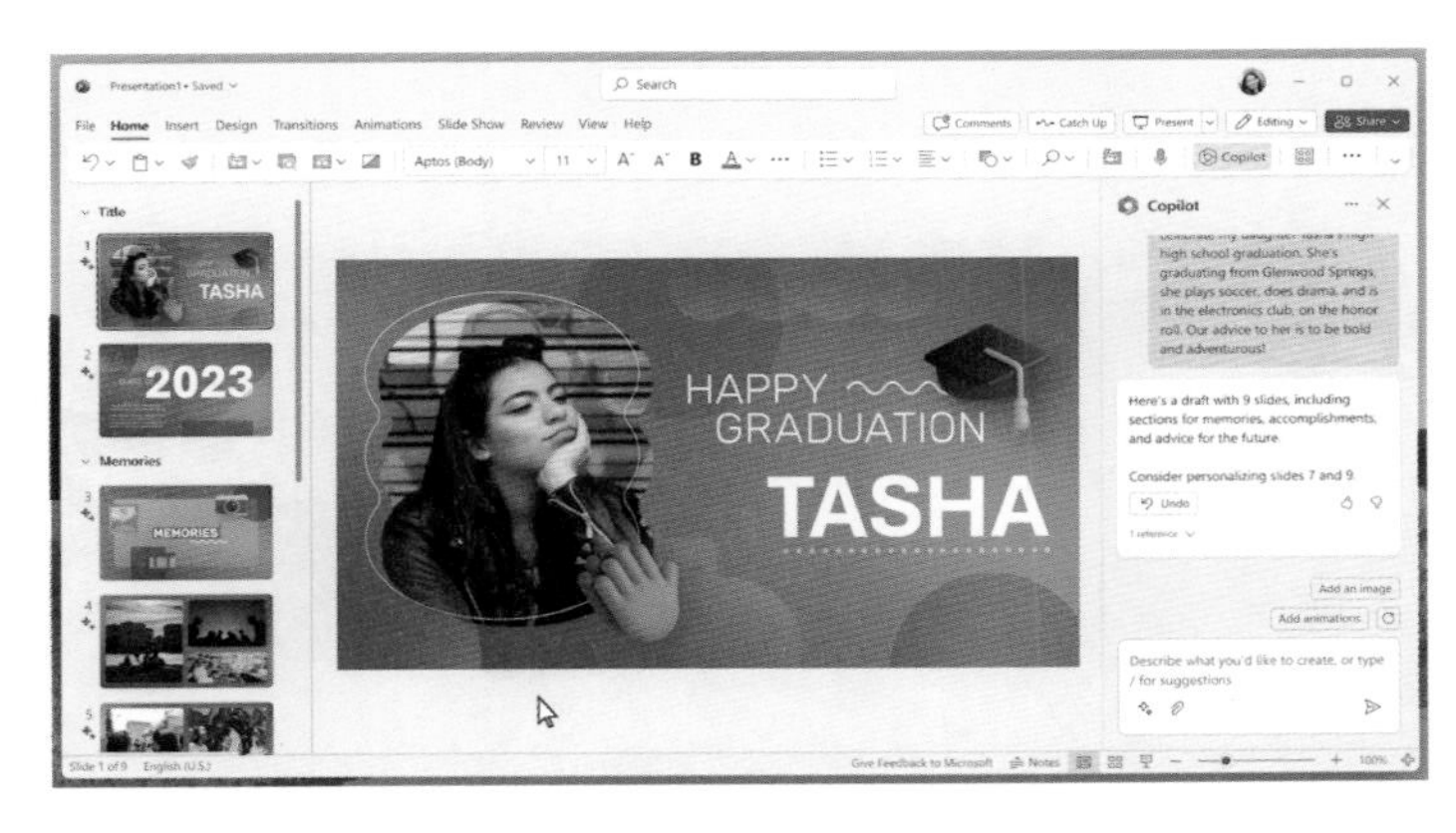

https://www.youtube.com/watch?v=Bf-dbS9CcRU

されたスピーチ原稿の雰囲気を、楽しい雰囲気に変えるといったこともできます。

Excelでは、売上データの表に対して「売上の成長について説明して」と指示すれば、グラフを自動的に生成して状況を分かりやすく整理してくれます。

Teamsでは、カレンダーからのタスク作成や、会話の要約を作成するといった作業を、Copilotに指示するだけで自動的に実行してくれます。

本書執筆時点ではまだデモンストレーションの段階ですが、今後プレビュー版として提供が開始され、多くの人が実際に使うことができるようになるでしょう。

こういった日常的に利用するツールに自

然と各種の生成ＡＩが組み込まれていき、意識せずに生成ＡＩを使うようになる日は遠くないかもしれません。

ChatGPTの使い方

ChatGPTは、簡単に利用することができるのでぜひ自分自身で試してみてください。

メールアドレスを登録してSMS認証を受ければ、誰でもChatGPTを使うことができます。

利用は基本的に無料です。無料の範囲では、文章が生成されるのに若干の時間がかかりますが、それでも十分にChatGPTの機能を活用できます。

このコラムではChatGPTを使用開始するまでの手順を紹介します。

① ChatGPTのウェブサイト(https://openai.com/blog/chatgpt)で、左下にある「TRY CHATGPT」を押す。

② 新規に利用する場合は、「Sign up」を押して次に進む。

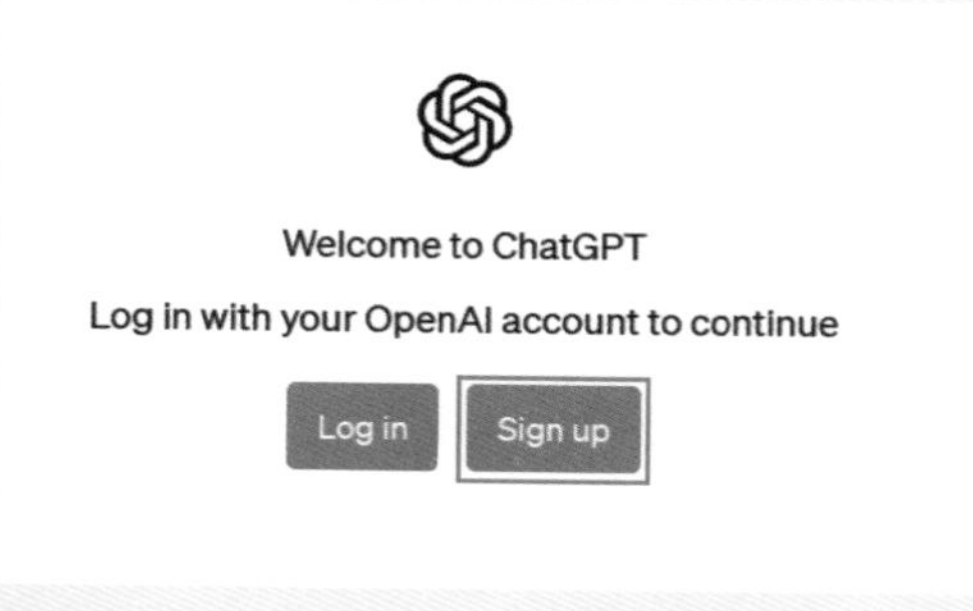

③ メールアドレスを入力し、その後にパスワードも入力する(マイクロソフトやグーグルのアカウントでサインアップすることもできます)。

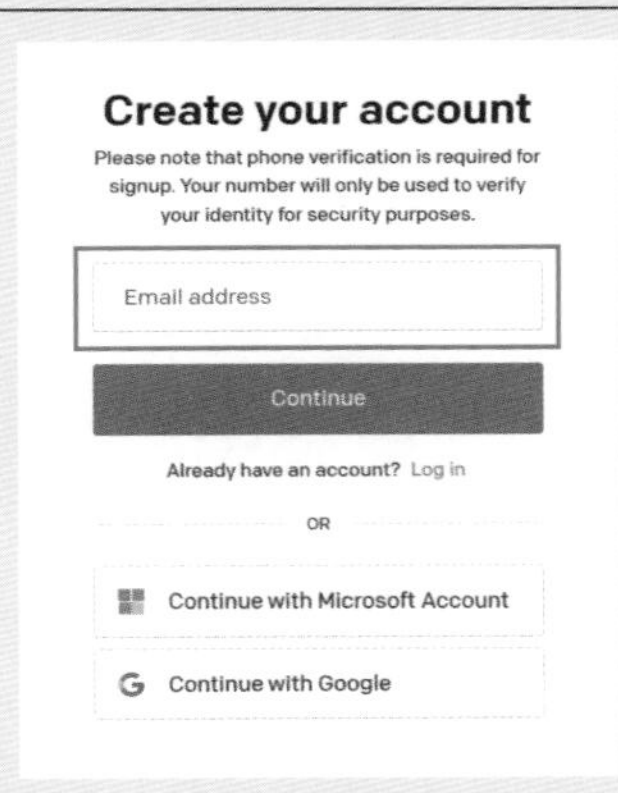

④ メールアドレスを入力した場合は、そのメールアドレス宛にメールが届くので、緑色のボタンを押して認証を完了させる。

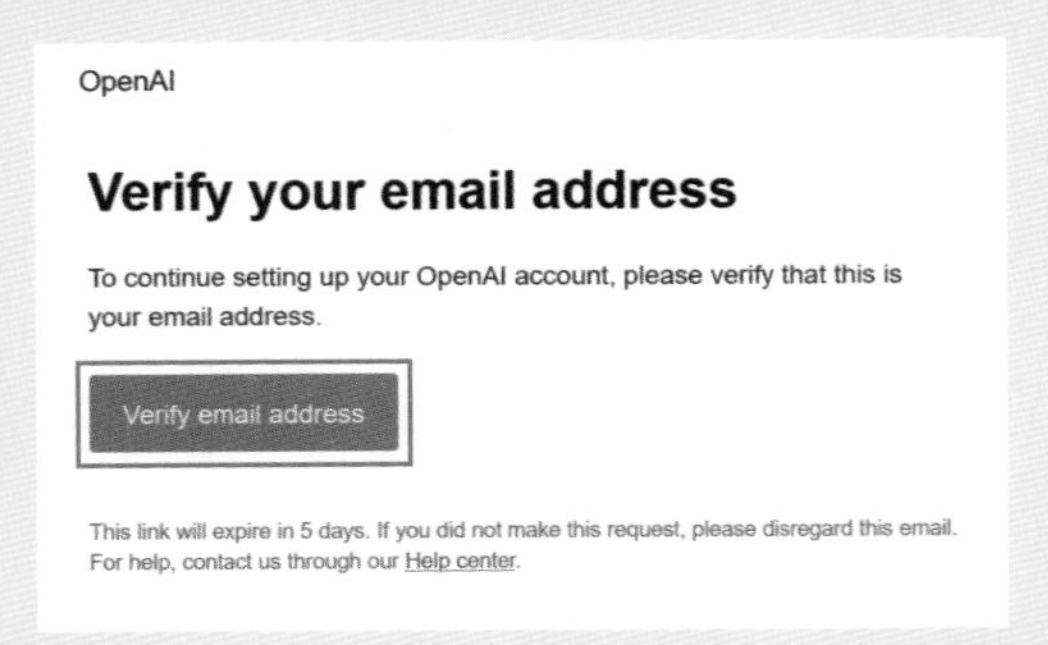

⑤ 名前や生年月日を入力する。

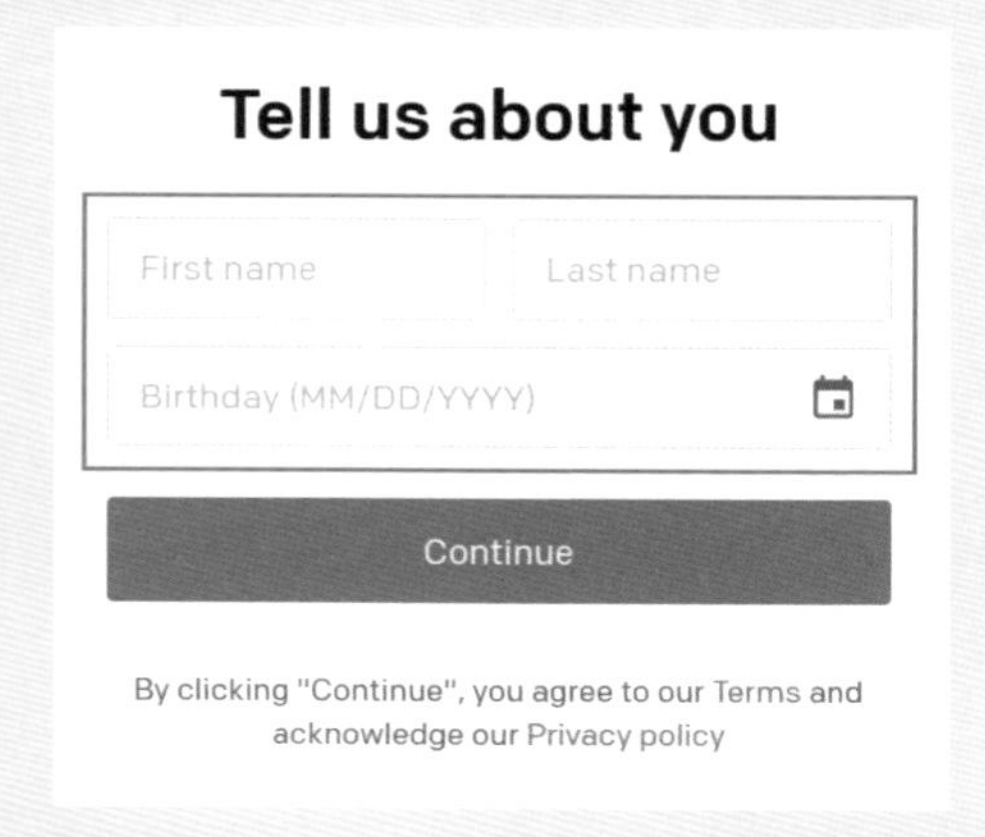

⑥ 携帯電話の番号を入力し、認証を行う。

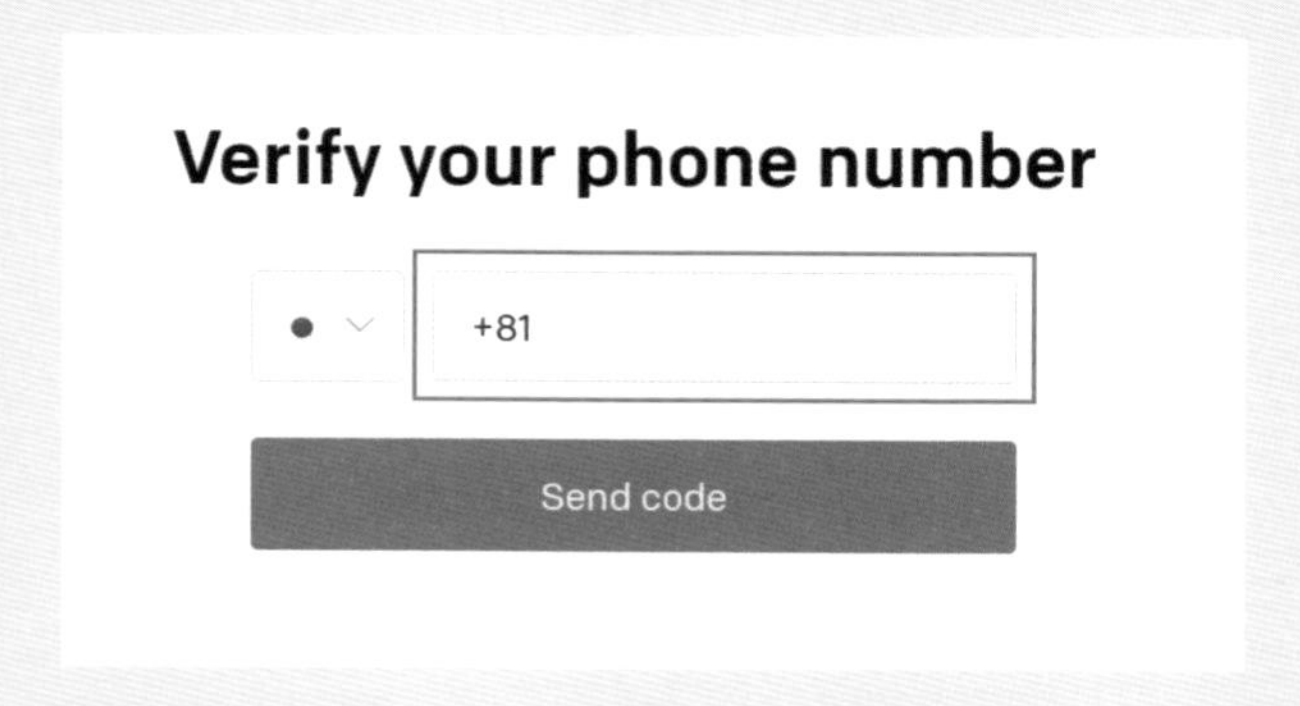

⑦ ChatGPTが利用できるようになるので、画面下側の入力欄にメッセージを入れて利用する。

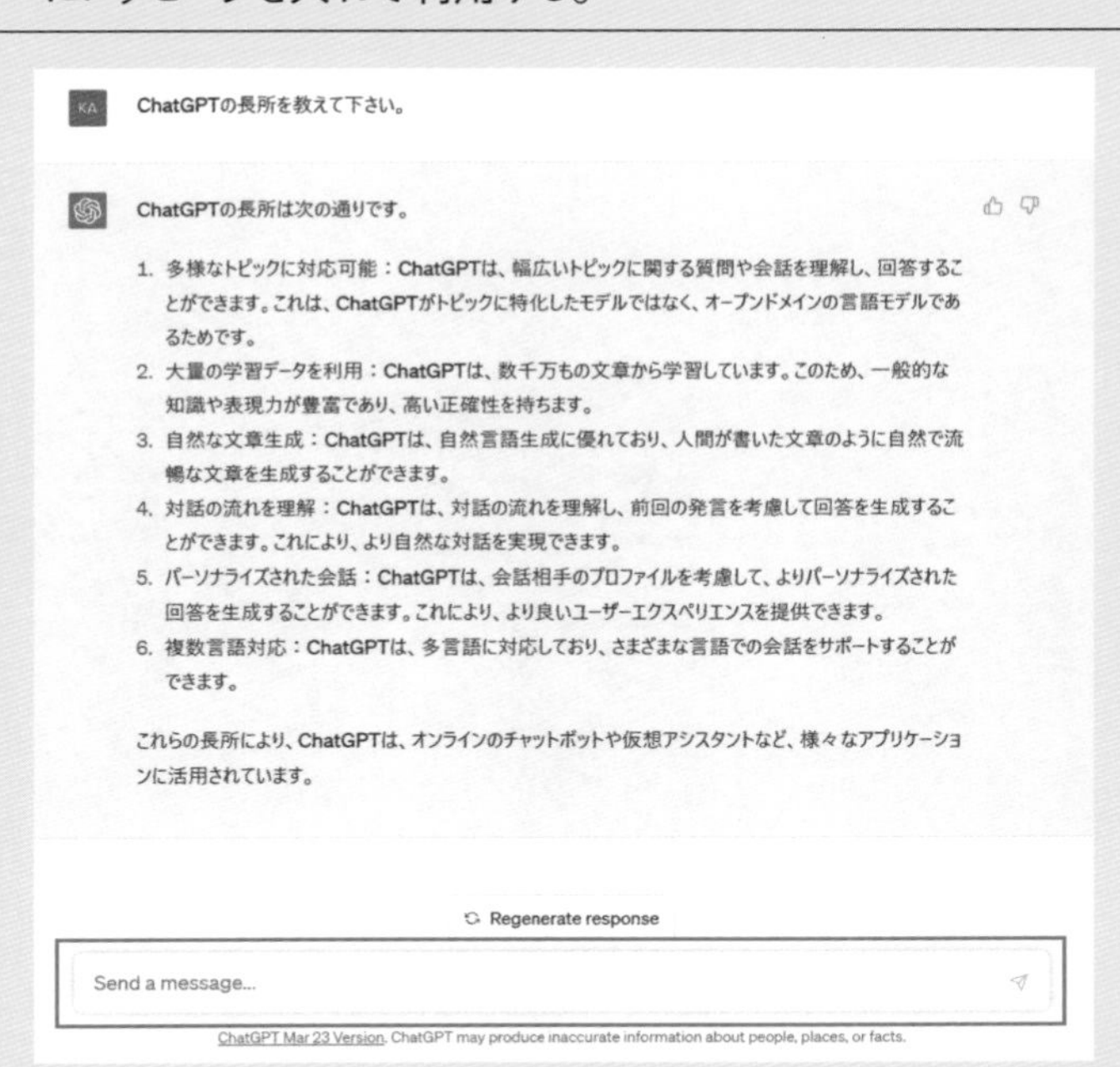
ChatGPTの長所を教えて下さい。

ChatGPTの長所は次の通りです。

1. 多様なトピックに対応可能：ChatGPTは、幅広いトピックに関する質問や会話を理解し、回答することができます。これは、ChatGPTがトピックに特化したモデルではなく、オープンドメインの言語モデルであるためです。
2. 大量の学習データを利用：ChatGPTは、数千万もの文章から学習しています。このため、一般的な知識や表現力が豊富であり、高い正確性を持ちます。
3. 自然な文章生成：ChatGPTは、自然言語生成に優れており、人間が書いた文章のように自然で流暢な文章を生成することができます。
4. 対話の流れを理解：ChatGPTは、対話の流れを理解し、前回の発言を考慮して回答を生成することができます。これにより、より自然な対話を実現できます。
5. パーソナライズされた会話：ChatGPTは、会話相手のプロファイルを考慮して、よりパーソナライズされた回答を生成することができます。これにより、より良いユーザーエクスペリエンスを提供できます。
6. 複数言語対応：ChatGPTは、多言語に対応しており、さまざまな言語での会話をサポートすることができます。

これらの長所により、ChatGPTは、オンラインのチャットボットや仮想アシスタントなど、様々なアプリケーションに活用されています。

Regenerate response

Send a message...

ChatGPT Mar 23 Version. ChatGPT may produce inaccurate information about people, places, or facts.

本格的に使いこなしたい人に向けてはChatGPT Plusという有料サービス（月20ドル、約2，600円）も用意されています。このモデルでは、無料版では使えないモード（デフォルトモード）を使って、より精度の高い文章を作り出すことができます。

なお、プログラミングが得意という方には、ChatGPTを使うためのAPIを利用することもできます。こちらは、従量課金制となっていて、出力する文字数（正確にはトークンという単位）に応じてコストが発生しますが、自作のプログラムからChatGPTを使うことができるようになります。プログラミングが得意な方は、試してみると良いでしょう。

3

生成AIがはらむ問題

ここまで、本書の前半では生成ＡＩの具体的なサービス例を詳細に見てきました。生成ＡＩは画期的な技術であり、これまで実現できなかったことをいとも簡単に実施できる「**チート級**」の道具です。

チート級という言葉はゲーム等でよく使われますが、あまりにも能力が高すぎて勝負が一方的になり、ズルすぎるという意味です。

例えば、画像生成ＡＩの例を考えてみましょう。

イラストレーターとして長年の経験を積み、数日をかけて美しいＣＧイラストを描けるようになった人にとって、一瞬で美しい絵が描ける画像生成ＡＩはまさに「チート級」の存在でしょう。

一般の人たちが自由にチート級の道具を使いこなせるようになれば、これまでと同じような仕事を続けることは難しくなります。

また、画像生成ＡＩは技術的には、プロのイラストレーターの**絵柄を真似る**ことも容易です。著作権を守ることも含めて現実的なルールがなければ、真似したもの勝ちとなってしまい、正直者が馬鹿をみる不公平な社会になってしまいます。

他の生成ＡＩも同様で、もちろんここまでで紹介してきたように、様々なことが便利にできるようになるという良い影響もたくさんあるのですが、悪い影響を与える懸念もあります。

これから発生する問題について、具体的に紹介しましょう。

ＡＩの生成物の著作権は誰にあるのか？

生成ＡＩを活用する際に常に議論されるのが、著作権に関する問題です。

ここまで紹介してきたように、生成ＡＩには様々な分野がありましたが、その中でも議論が多く起こっているのは画像生成ＡＩです。

画像生成ＡＩを使って生成した画像を、**その作者が著作権を持つ**と主張できるのか、また**誰かの著作権を侵害する**ことがないのかという点が、多くの人が心配するポイントです。

現時点でも様々な議論が行われているところであり、これらの議論に**明確な結論はついていません**。

複雑なケースでは、いまだに専門分野の弁護士でも見解が分かれる部分があります。

まだ画像生成ＡＩの技術は出始めたばかりの段階であり、ニュース等で論点が取り上げられることは多いですが、裁判所での判例が積み上げられているわけではないからです。

また、世界各国で同様の議論が行われていますが、国によっても若干考え方が異なるようです。

このような前提の下にはなりますが、日本における現時点の基本的な考え方について簡単に説明します。

なお、著作権に関する論点については、本書の出版後も議論が進むはずです。あくまで本書執筆時点での状況であるとご理解ください。詳しくは、最新の状況を調べていただければと存じます。

著作物性の判断は、「創作的寄与」の有無

まず、画像生成ＡＩを使って生成した画像について、**生成した人が著作権を主張できるかどうか**（著作物性があるか）という論点があります。

結論から言うと、「**どのような方法で生成したか**」によって、著作権を主張できるかど

うかが異なります。

コンピューターやＡＩを使って生成したものに著作権を認めるかどうかについては、古くから議論が行われてきました。現時点でもその大前提とされているのが、平成５年の報告書[注1]です。

ここで、**創作的寄与**という言葉が使われています。

報告書の内容を簡単に言うと、コンピューターを道具として使った上で、その人自身の創作的寄与があれば、著作権が発生するということです。

逆に、コンピューターが勝手に作り出しただけで、人の創作的寄与がなければ、著作権は発生しないということになります。

では、ＡＩを使って生成したものに対する創作的寄与については、具体的にどうなるでしょうか。平成29年の資料[注2]を見てみましょう。図３-１のように、２つの例が挙げられています。

１つ目は自動作曲の例です。人が前工程（人が曲のスタイルを選択）、後工程（ＡＩが出力した曲に作詞・編曲）の作業を行っているので、**創作的寄与が認められる**とのことで

図3-1　AI生成物の創作的寄与

AI生成物の事例

●AIを道具として創作した事例

ソニーコンピュータサイエンス研究所は「FlowMachines」というプロジェクトにおいて、AIを使ってビートルズ風の楽曲「Daddy's Car」を作曲した。
（https://www.youtube.com/watch?v=LSHZ_b05W7o）
本プロジェクトで使用された自動作曲AIである「FlowComposer」は、スタイルと曲の長さを指定するだけで作曲を行うことができる。「Daddy's Car」は作曲家であるBenoit Carréがビートルズのスタイルを選択して出力された曲に対して、作詞・編曲をした上で発表された。

この事例に関しては、Benoit Carréが編曲等により創作的寄与をしていると考えられるのではないか。

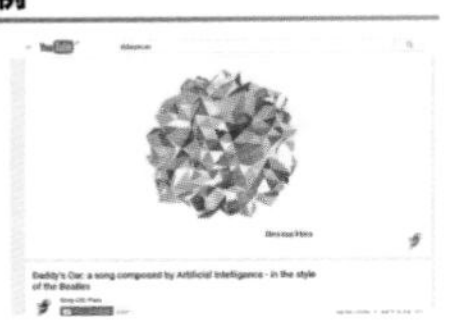

●人の関与の程度が少ないと考えられる事例

「Deepart.io」（https://deepart.io/#）を利用して知財事務局作成。
「Deepart.io」は、利用者が写真とスタイル画像（絵画）を選択するだけで、スタイル画像の画風に加工した写真を出力する。

この事例では、「Deepart.io」の作成者によるAI生成物の具体的な結果に対する創作的寄与の程度はほとんどないのではないか。
また、利用者は入力する画像の選択をしているが、出力それ自体には関与していないため、この程度の関与をどう評価するか。

https://www.kantei.go.jp/jp/singi/titeki2/tyousakai/kensho_hyoka_kikaku/2017/johozai/dai6/siryou4.pdf

す。

2つ目は画像生成の例です。こちらは人は前工程でインプットとなる写真とスタイルを選択しただけであるため、**創作的寄与がほとんど認められない**としています。

この2つ目の例から単純に考えると、画像生成AIで作ったものには著作権が認められないということになってしまいます。

ただ、この部分については、今でも解釈が分かれるようです。

（注1）著作権審議会第9小委員会報告書（文化庁）。内容については150ページのコラムを参照ください。

（注2）「AIに関して残された論点（討議用）」（内閣府知的財産戦略推進事務局）

創作的寄与の意味

（本文は152ページに続きます）

創作的寄与という言葉の意味は、文化庁の報告書において次のように説明されています。

「人がコンピュータ・システムを道具として用いて著作物を創作したものと認められるためには、（中略）創作過程において、人が具体的な結果物を得るための創作的寄与と認めるに足る行為を行ったことが必要である。どのような行為を創作的寄与と認めるに足る行為と評価するかについては、個々の事例に応じて判断せざるを得ないが、創作物の種類、行為の主体、態様等が主な判断基準になると考えられる。」

「使用者が単なる操作者であるにとどまり、何ら創作的寄与が認められない場合には、当該使用者は著作者とはなり得ない。どのような場合に使用者が創作的寄与を行ったと評価でき、又は単なる操作者にとどまるかについては、個々の事例に応じて判断せざる得ないが、一般に使用者の行為には入力段階のみならず、その後の段階においても対話形式などにより各種の処理を行い、最終的に一定の出力がなされたものを選択して作品として固定するという段階があり、これらの一連の過程を総合的に評価する必要がある。」

画像生成ＡＩの技術は確かに進化しましたが、素晴らしい画像を生成するには入力するテキスト（プロンプト）を相当工夫しなければなりません。通称で「呪文」と呼ばれていますが、どのような言葉を入れるとどのように雰囲気が変わるか、といった複雑な因果関係を理解しないと、思い通りの画像は生成できないのです。呪文について研究した書籍やウェブサイトがあるほど、専門的な世界になりつつあります。そして、数十個の単語を組み合わせ、何度も試行錯誤して、ようやく目的の画像を得られるというのが実際の作業風景です。

そのことを考えると、画像生成ＡＩを使っているとはいえ、**作者の「創作的寄与」は十分にある**とも考えられますし、そのように主張されている方もいるようです。

そもそも実務的には、利用する画像生成ＡＩのサービス自体で、商用利用等についてどのようなルールが設定されているかが前提になります。

例えば、次のようなルールを設定しているサービスがあります。

・無料で利用でき、生成した画像を商用利用することも可能
・無料でも利用できるが、有料プランの利用者のみが商用利用可能

・年間売上高が一定金額以上の企業で商用利用する場合は、別途有料プランへの加入が必要

商用利用可能な条件になっていれば、作者自身のウェブサイトに掲載したり写真集として出版したりすることに問題はありません。

ただ、その公開した画像を別の第三者がコピーして盗用した場合に、著作権の有無が重要になるのです。

作者に著作権が認められていれば、盗用した人に対して差止請求（盗用して公開したものを非公開にさせること）や損害賠償請求等を行えます。一方で作者に著作権が認められていなければ、このような請求はできず、泣き寝入りということになります。

このように著作権の有無は、作成した画像に対する権利として重要な論点なのですが、現時点では個々の具体的なケースに対する解釈が固まり切っていないという状況です。

著作権侵害の判断は、「依拠性」と「類似性」

次に、画像生成ＡＩを使って生成した画像が、**誰かの著作権を侵害することがないのか**という論点について考えてみましょう。

例えば、有名な漫画家の絵と似た雰囲気の絵を生成したときに、その漫画家の著作権を侵害しているかどうかということです。

この論点も、元の漫画家の絵を事前にどこまで認識していたのか、そして画像生成過程でどのように元の絵を利用したかによって、著作権侵害の判断が分かれます。こちらも、なかなか複雑な論点です。

基本的には、「**依拠性**（いきょせい）」があると認められると、著作権侵害になってしまいます。

依拠性とは、「**オリジナルの作品を参考にしたかどうか**」ということです。オリジナルの作品を知らずに、全く偶然に同じ作品を作ってしまった場合は、依拠性がないということで著作権侵害にはなりません。

例えば、俳句のような作品であれば、オリジナルの作品を知らずに偶然全く同じ句を詠むということもあり得るでしょう。その場合は、後から作った人に依拠性がないので、両方の人に著作権が認められるということになります。

つまり、画像生成ＡＩを使って、偶然に誰かの作品と全く同じ作品を作ってしまったとしても、**依拠性が全くなければ著作権侵害にはならない**ということです。これが基本的な考え方なのですが、実務的には「依拠性が全くない」と言い切れるかどうかがポイントになります。

画像生成の場合は「全く同じ」となることはほとんどないでしょうが、誰かの作品と似ている、そっくりであるということが問題になるでしょう。

このときに、**類似性**という考え方が重要になります。

依拠性は元作品を知っていたかどうかという観点でしたが、類似性は元作品と似ているかどうかという観点になります。

類似性があるかどうか、その判断のポイントはオリジナル作品の「**本質的特徴**」を、新しい作品からも直接感得できるかどうかです。

この本質的特徴の有無については判例が積みあがっているのですが、非常に難しい判断が求められる分野になっています。

典型的な例を2つ上げます。

類似性が認められなかった判例

「マンション読本」事件（平成21年大阪地裁判決）

マンション販促物のために作成したイラストが、既存の書籍に掲載されていたイラストに似ていたために、著作権侵害の裁判となった事件です。

イラストのポーズ等に類似したところはあるのですが、本質的特徴があるとまでは認められず、著作権侵害にはなりませんでした。

裁判では多数のイラストが提示されていますが、図3-2がその一例です。

図3-2　「マンション読本」事件

原告の作品（オリジナル）　　被告の作品

https://www.courts.go.jp/app/hanrei_jp/detail7?id=37482

図3-3　「みずみずしいスイカ写真」事件

原告の作品（オリジナル）　　被告の作品

https://www.courts.go.jp/app/hanrei_jp/detail7?id=12428

類似性が認められた判例

「みずみずしいスイカ写真」事件（平成13年東京高裁判決）

写真家が撮影してカタログに掲載したスイカの写真が、過去にNHKの「きょうの料理」で使われた写真に似ていたため（図3－3）に、著作権侵害の裁判となった事件です。

この例では、一審の地裁では類似性が否定されたのですが、高裁で類似性が肯定されました。著作権侵害が認定されたので、被告には損害賠償等が命じられました。

この2例のように、類似性の判断については裁判官でも見解が分かれるほど難しい分野となっています。

依拠性と類似性の考え方を合わせると、オリジナル作品があることを認識した上で、意図的にオリジナル作品と類似した画像を作成し、それを公開して原作者の利益を損なうようなことがあれば、著作権侵害に当たる可能性が高いと言えます。

ただ、その具体的なプロセス（画像生成ＡＩの使い方）や、生成した作品の類似性をどう判断するかについては、現時点では諸説が併存するというような状況です。

今後は画像生成ＡＩが登場したことで、さらに裁判官を悩ませる事件が色々と発生することになるでしょう。

繰り返しになりますが、著作権に関する論点については、本書の出版後も議論が進むはずです。

詳しくは、最新の状況を調べていただければと存じます。

著作権論争の行く末!?

（本文は１６２ページに続きます）

国内での著作権の扱いについてはまだまだ分からない状況が続く見通しですが、筆者の見解を紹介します。

米国はフリーユースの考え方を盾にして「まず、やっちゃえ」という形でサービスを展開してデファクトスタンダード（事実上の標準）を作ってしまって、後から細かな問題も賠償金を一部払いながらもなぎ倒していきます。

現時点では、イタリアが個人データ保護の観点からChatGPTを一時禁止するなど各国が利用規制に動くなかで、日本では比較的ChatGPTを容認して活用する方向で議論が進められています。ただし、過去の歴史を踏まえて考えると、政府や企業が新技術を推進しようとしても、根強い反対派の抵抗があるはずであり、日本が世界に先駆けて新たなルールメイキングを行うことは難しいかもしれません。

ただし、ＡＩの世界は世界共通なので、日本のサービスが展開できないうちに、米国中心でデファクトサービスができ、日本も追従せざるを得なくなるでしょう。OpenAI、マイクロソフト、グーグル等が世界で固めたルールについて、日本は認めざるをえず、海外サービスに牛耳られるというという結末になりそうです。

その結果、ＡＩ生成物に著作権を認めたほうが企業も個人も活動しやすいので、著作権を広く認める方向へかじ取りされると予測します。

一方で、既にその米国でもＡＩへの懸念が広がり、半年間の開発中止を求めるような運動すら始まっています。とはいえ、ビル・ゲイツが「ＡＩ開発の一時停止を実行しても今後の課題の解決にはならない」と発言した通りであり、誰かがＡＩの開発を止めても世界中のＡＩ開発が止まるわけではないでしょう。結局、生成ＡＩはどんどん進化し、その進化を止めないように著作権等の制度整備が進むと思います。

揺らぐ情報の信頼性

急増するフェイクニュース

新しい技術が生み出されると、その技術を悪用する人や、グレーゾーンと知りつつ悪用に便乗する人も生まれてきます。

「何をしてよいか」、「何をしてはいけないか」というルールが社会全体で認識されていないと、野放図に新しい技術が利用されて社会問題を引き起こしてしまうのです。

先ほど説明した著作権の問題も、まさにその1つでした。

過去に音楽データをｍｐ３形式でデジタルデータとして配布できるようになったときに、当初は著作権に配慮していない音楽データの流通を十分に取り締まることができずに、違法ダウンロードが蔓延してしまいました。

その後、平成24年になって著作権法が改正され、違法であることを知った上でダウンロードすることが刑罰の対象になったことも含めて、ルールが段階的に整備されました。

そして、ようやく有料のサブスクリプションを利用するという方法が一般的になってきたのです。


他にも対応しなければならない問題があります。

今後も大きくクローズアップされそうなのが、**フェイクニュース**を巡る問題です。

ここ数年、フェイクニュースという言葉が話題になることが増えました。

全く根拠がないことであっても、それをＳＮＳ等で流せば勝手に広まっていきます。

政治家や芸能人等に対して悪印象を広めたり、災害発生時にデマ情報が流れたり、様々な悪影響を及ぼしています。

図3-4　ゼレンスキー大統領のフェイク動画

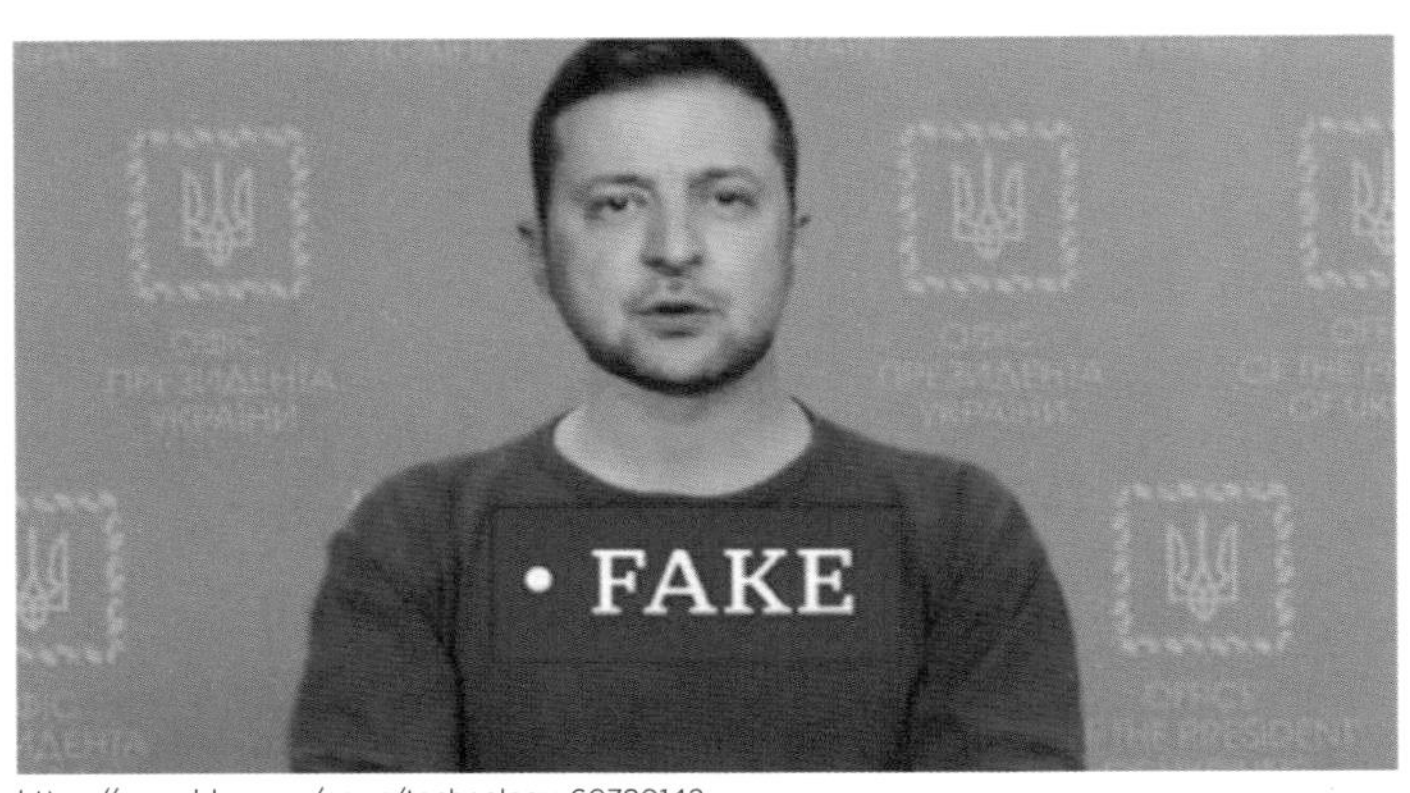

https://www.bbc.com/news/technology-60780142

フェイクニュースの拡散

残念ながら、フェイクニュースの手法は世界中に広まり、留まるところを知りません。ネット上の情報の信頼性がどんどん低下してしまっています。

フェイクニュースは**戦争**にも使われています。

例えば、ウクライナのゼレンスキー大統領が、ウクライナ国民に対してロシアへの降伏を呼びかけるという動画が過去に拡散されました。もちろん、完全なフェイクニュースです（図3-4）。

フェイク動画だと分かった上で見てみ

ると、体に対して首の部分を貼り付けたように見えますし、動画の中でも体がほとんど動かず表情のみが動いているので、不自然なところはあります。
しかし、フェイク動画であるという先入観がなければ、本物の動画であると錯覚するほどの完成度となっています。

ロシアとウクライナの戦争については、他にも様々なフェイクニュースが登場しています。ロシア側、ウクライナ側、両陣営や関係者が毎日大量のニュースを流すという状況になっており、もはや一般人にはどれがフェイクなのかを判断できない状況です。
ある目的を持って組織的に大量のフェイクニュースを拡散させる組織のことを、**トロールファーム**（情報工作組織）と呼びます。現代の戦争は情報戦という側面が強く、様々なトロールファームが暗躍しているのです。

フェイクニュースは**選挙**でも登場します。
アメリカ大統領選、フランス大統領選、世界中の様々な選挙シーンにおいて、ライバルに悪印象を与えるフェイクニュースが問題になりました。

コロナ禍でも、様々なフェイクニュースが登場しました。ある製品がコロナウイルスに対して効果があるとか、トイレットペーパーが不足しているので早めに買うべきとか、全く根拠のない情報が世間を賑わし続けました。

ネットの世界では、匿名で情報を発信することが容易です。もちろん、ひどい誹謗中傷があった場合には、「発信者情報開示請求」という手続きを行い、場合によっては裁判手続きも経た上で、発信者を特定できる仕組みになっています。

しかし、制度の枠組みとしてはできているものの、技術的な限界等もあり、発信者を特定できない場合もあります。

つまり、悪意を持った人が、匿名の蓑に隠れてフェイクニュースをばらまくことについて、対策はまだまだ十分ではないのです。

フェイクニュースを作成する動機

では、フェイクニュースを作る人は、なぜそのような行動をしているのでしょうか。その動機は様々ですが、典型的な例はこのような理由でしょう。

(1) 明確な悪意を持って、特定の人や組織の評判を下げようとしている。
(2) 人々の関心をそそる目立つ記事を書くことでアクセス数を急増させ、広告等による自身の収入を上げようとしている。
(3) 面白半分で、いたずらをしている。

現時点まででも、このような状況でしたがここに、さらに生成ＡＩの技術が加わると、圧倒的なボリュームのフェイクニュースが自動生成される可能性があります。

特に(1)、(2)の目的でフェイクニュースを作成している人にとって、生成ＡＩは素晴らしい道具になってしまいます。

・文章生成ＡＩを使って、フェイクニュースを大量自動生成
・画像生成ＡＩを使って、有名人が悪事をしている写真を捏造
・動画生成ＡＩを使って、有名人が悪事をしている映像を捏造

こういったケースが、おそらく今後増えてしまうことになるでしょう。
そして、既にそのようなケースが実際に発生し始めています。

生成ＡＩを使ったフェイクニュース

２０２２年９月に静岡県で水害が発生したときに、街が水没しているかのようなフェイク画像がＳＮＳに投稿されて話題になりました。[注3]

この写真の作者は、Stable Diffusionを使って生成したことを認めています。生成ＡＩを使うと、全く知識がない人でも非常に簡単にフェイクニュースを作れるのです。

先ほど紹介したゼレンスキー大統領のフェイク動画には**ディープフェイク**というＡＩ技術が使われています。ただ、この技術を使いこなすことはそれなりに難しく、一般人がすぐにこのような動画を作れるわけではありませんでした。一方で、静岡県の水害のフェイク画像は、Stable Diffusionで「flood damage, shizuoka」というキーワードを入れるだけで生成したとのことです。非常に手軽に、このような画像が作れてしまったのです。

この例は、たまたま見つかった1匹のシロアリのようなものに過ぎないでしょう。おそらく、既に多くのフェイクニュースが世の中に生み出されています。つまり、私たちが気づかないうちに、多くのシロアリが床下、柱、屋根の侵食し、いずれ屋台骨を揺るがす事態になってしまうように、重大な問題となる恐れがあります。私たちはインターネットの情報をある程度信頼できるものとして扱ってきましたが、これからは信頼できない情報が数多く入り混じり、何を信じてよいか分からなくなるかもしれません。

今後、具体的にどのような事態が発生し得るのでしょうか。フェイクニュースを意図的に作る人の立場、つまり特定の人の評判を下げようとしている人や、広告収入を上げるためには手段を問わないという人の立場で考えてみましょう。

フェイクニュースの大量生成

生成ＡＩを使えば、フェイクニュースの方向性を指示するだけで、数百、数千、それ

（注3）https://www.itmedia.co.jp/news/articles/2209/26/news180.html

以上の記事を量産できます。テキストによる記事だけでなく、画像や動画も含めたコンテンツとすればより効果的になるでしょう。

そのような、フェイクニュース生成用のツールも開発されてしまうかもしれません。例えば、政治家の誰かの評判を下げようと意図した場合に、贈賄、癒着、不正行為、差別発言、パワハラ、セクハラ等、ありとあらゆる問題を捏造して、悪い噂をばら撒く記事を量産できてしまうのです。

その記事も、公式のメディアを模したものになるかもしれません。新聞社、テレビ局等の大手報道機関の記事とそっくりの体裁で、実はフェイクニュースということも想定されます。

これは非常に恐ろしい事態です。真偽はともかく、悪いニュースはすぐに多くの人に伝わってしまうのです。「悪事千里を走る」という諺があります。この諺ができた当時は、本当に悪いことをした場合にその噂が早く伝わったのでしょう。しかし、今は悪事を働いていなくても、事実無根の噂が作られて、それが急速に広まってしまうのです。有名人にとっては、非常につらい状況になりそうです。

口コミの自動生成

フェイクニュースが単独の記事なのであれば、まだ真偽を見分けやすいでしょう。私たちは、ネットで情報を探すときに、複数のソースを確認して信頼性を判断できるからです。

しかし、フェイクニュースはその点でも進化してしまうかもしれません。

特に心配されるのが、各種ＳＮＳとの連携です。

Twitter、Instagram、TikTok、Facebook等、様々なＳＮＳにおいて、実在の人ではなく、生成ＡＩが投稿を行う**バーチャルなアカウントが増えてしまうこと**が懸念されます。

これらのアカウントを作成したフェイクニュース発信者は、普段は普通の人間であるかのように振る舞いながら、時々まことしやかにフェイクニュースを垂れ流すのです。

普段から怪しい内容ばかりを発信しているアカウントであれば、その情報を信じる人は少ないでしょう。しかし、普段は日常生活や最新ニュース等について知的な発信をしているアカウントで、ある日突然ある政治家の不正行為を告発するような情報が出ると、その情報を信じてしまう人が多くなるでしょう。

このように、普段から大量の偽装アカウントを持っておいて、フェイクニュースを流すときに連携するといった高度な悪用方法も考えられるのです。

生成AI自体をだます

さらに高度な悪用方法としては、ChatGPTやBing AIチャットのような文章生成AI自体に、フェイクニュースをしゃべらせてしまうということが考えられます。

文章生成AIも、基本的にはネットに公開されている大量の情報を学習して、回答を返しています。質問内容によっては、その場でネットの最新情報を検索した上で、有用な部分を抽出して応答することになります。

つまり、**この動作原理を悪用される可能性がある**ということです。

特定の政治家についての評判を文章生成AIに尋ねたときに、過去に不正行為があったと応答してしまえば、それを見た利用者は情報を信じてしまう可能性が高いでしょう。

また、逆のパターンもあり得ます。特定の政治家について、美辞麗句を並べ立て、過去に素晴らしい行動をした、大勢の人が感謝しているといった捏造記事を量産することで、それを文章生成AIに学習させる可能性もあるでしょう。

もちろん、文章生成AI側でも情報の信頼性を高めるために、様々な対策を行っています。基本的には、客観的で中立的なウェブサイトの情報を優先して活用するので、フェイクニュースを流すために作られたサイトの情報を活用することは少ないでしょう。

しかし、ここはイタチゴッコの世界です。客観的で中立的なウェブサイトを装いながら、ピンポイントでフェイクニュースを流すということも含めて、フェイクニュースを作る側も様々な工夫をしてくるでしょう。

フェイクニュースの専門組織の誕生

このような手法も含めて、フェイクニュースを広めるための専門組織も誕生してしまうかもしれません。

もちろん、フェイクニュースという言葉を看板に掲げることはしないでしょう。表向きは、ＡＩ時代の先進マーケティング企業という看板になります。

そもそも、フェイクニュースであるかどうかの境目は、状況によって様々です。

新しいお菓子の新商品を開発して、そのお菓子をインフルエンサーに食べてもらって宣伝するというのは、一般的にはウェブマーケティングと呼ばれます。もちろん、現時点においても、インフルエンサーがスポンサー料をもらって広告している場合、そのことを明示しなければ**ステルスマーケティング**であるとして非難されます。とはいえ、広告であることが分かりにくい場合も多く、その情報を目にした利用者は、新商品が素晴らしいものであると「誤認」する可能性があります。**マーケティングとは、フェイクニュースと紙一重の存在**なのです。

なお、ステルスマーケティングについては景品表示法が改正され、２０２３年10月１日からは新たな規制が開始されます。[注4] 消費者庁が運用基準を公表しており、例えば「広告」という表示が、周囲の文字と比較して小さく表記されている場合は不当表示に該当するなど、具体的な事例も示しています。

もっと露骨な例は、ＳＥＯ対策でしょう。

現在でも、自社の商品やサービスを検索結果の上位に表示させるために、様々な工夫がされています。その工夫のことを、ＳＥＯ（Search Engine Optimization）と呼びます。そして、ＳＥＯの技術に特化して、企業の依頼に応じてＳＥＯ対策を実施する企業が数多く存在します。

これらの行為も、現時点ではウェブマーケティングの一環であると捉えられていますが、検索エンジンを「だましている」という観点からはフェイクニュースという要素もあるのです。本来は、もっと利用者にとって有用な情報を検索エンジンに表示すべきであったのに、ＳＥＯ対策によって利用者を「誤認」させるような情報を表示させていると捉えることができるからです。

つまり、進化した生成ＡＩを使いこなす人たちに対してマーケティングを行うということは、**フェイクニュースを流すということと紙一重**なのです。

この新しい時代に特化したマーケティング技術を持つ企業が、今後成長するでしょう。ただ、その企業は危険なツールを手に入れているのです。正しく使えば、企業の商品を真に必要としている人にその商品を届けるという効果的なマッチングを行えます。しかし、その技術を悪用すれば、その商品を必要としない人にもマーケティングの力で売りつけることができますし、さらに行き過ぎれば政治家のライバルの不正行為を囁くような、本物のフェイクニュース製造装置にもなってしまうのです。

フェイクニュースへの対策

懸念される事項を色々と書きましたが、もちろんこのような事態を防ぐために、様々

（注4）https://www.caa.go.jp/notice/entry/032672/

図3-5　「ウクライナファクツ」

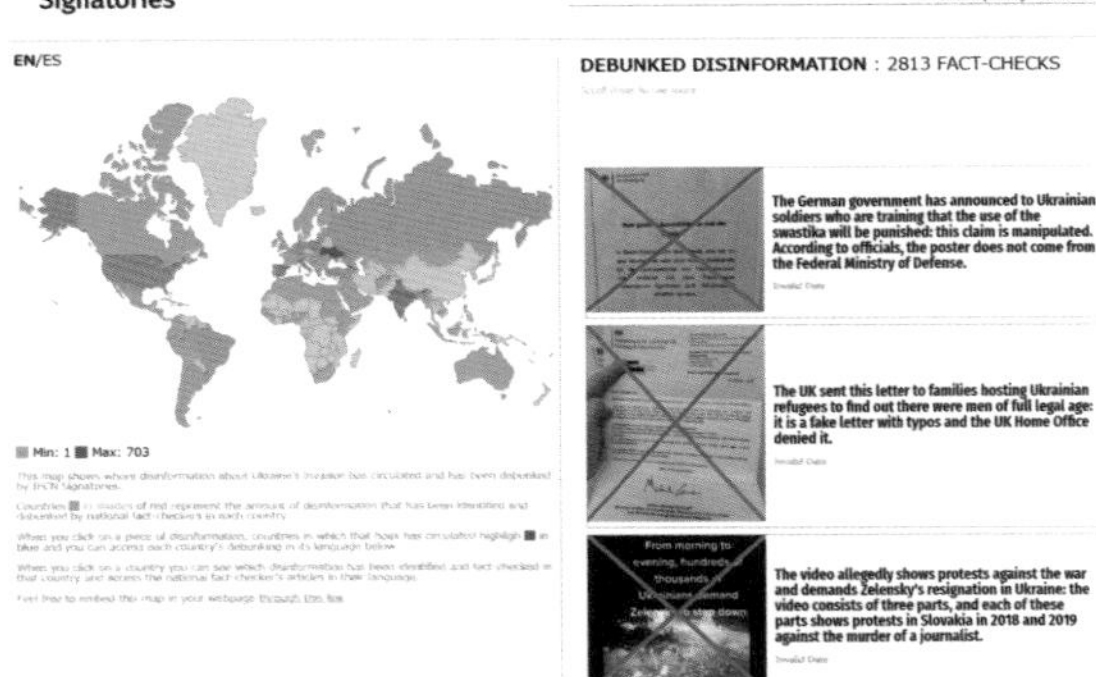

https://ukrainefacts.org/

な対策がなされるでしょう。

その対策のキーとなるのが、**ファクトチェック**です。文字通り、事実かどうかを確認する活動のことです。

既に、ファクトチェックのための様々な試みが行われています。

国際的にも様々な組織が連携して、フェイクニュースと思われる記事に対して事実関係のチェックを行い、フェイクと判定したものについて公開しているのです。

例えば、ウクライナ情勢を巡るフェイクニュースについては、「ウクライナファクツ」というサイトが立ち上がっています（図3-5）。ロシアがウクライナに侵攻してから1年間の間に、2800を超える記事を検証してフェイクニュースであると判定しています。世界各国のファクトチェック団体が協力して、この成果をまとめているのです。

当然ながら、生成AIを提供する各社も、フェイクニュースを判定するロジックの改良を続けるとともに、個別のコンテンツについてもチェック体制を作って、フェイクニュースが入り込まないように対策を進めるでしょう。

それは、まさに過去20年以上にわたって、グーグルを始めとする検索エンジン各社が対応を続けてきたことです。

初期のグーグルは、「他サイトから数多くリンクされているものは、良いサイトである」というアルゴリズムをもとにすることで、人間の判断を経なくても機械的な作業で検索順位を調整することに成功しました。すなわち、**リンクされる（被リンク）数が多いと、良いサイトとみなされて、検索順位が上がるようになっていた**のです。

しかし、そのアルゴリズムが有名になるに従って、被リンクを稼ぐという手法が巷にあふれます。相互リンクを申請することで、全く関係のないサイトからリンクを張ってもらうということが普通に行われていました。

後にそれまでとは逆に、関係のないリンクが多数存在するサイトは検索順位を落とすように、グーグルはアルゴリズムを見直しました。

キツネとタヌキの化かし合いのようですが、有用な情報を選別して提供したい側と、自分の情報を宣伝してほしい側で、果てしのない技術競争が繰り広げられてきたのです。

今後、生成ＡＩを提供する各社が苦労するのも、意図的に自分の情報を宣伝しようとする人たちへの対応です。重箱の隅をつつくように、様々な手法を駆使して抜け穴を探す人たちに対して、空いていた穴をふさぎながらＡＩの精度を高めていくという地道な活動こそ、今後の生成ＡＩを巡る競争に勝つためのポイントになるでしょう。

そして、フェイクニュースのような、社会問題になりかねない情報は即刻削除する、マーケティング目的の可能性が高い情報も、自動処理を駆使しながら効率的に対応するといった活動を通して、**利用者から信頼される生成ＡＩを運営できる企業が、今後の生成ＡＩの王者になる**ことでしょう。

論文では、学生の能力を測れなくなる

生成ＡＩが登場することで、これまで人間しかできないと考えられていた作業もＡＩが実施できるようになります。

このことは便利という側面が強いですが、一方で、これまで「人間しかできない」という前提で設計されていた仕組みが機能しなくなるということを意味しています。

具体的なシーンを考えてみましょう。

様々な教育機関では、学生の能力が十分に向上したことを確認するために、宿題やテストを課します。大学であれば、卒業論文という論文作成を求めています。

論文を課すということは、学生の能力や達成度を測定するために非常に有用な方法でした。もちろん、本人以外の人が論文を代筆するという可能性もあり得ましたが、専門分野で代筆できる人は限定されるでしょうし、その人が論文を代筆するにも多大な労力がかかります。現実的には、本人以外が論文を作成するという可能性はほとんどありませんでした。

ところが、文章生成ＡＩが登場したために、その前提が大きく揺らぎつつあります。

卒業論文のような重要な提出物についても、文章生成ＡＩを使って一瞬で作成することが現実的にできてしまうのです。

実際に、どの程度の論文が作成できるのか、試してみましょう。

長い文章を出力するときには、まず目次を生成して、その後にそれぞれの章について本文作成を指示するという方法が便利です。

図３－６では、「ＡＩの歴史」という論文の目次を生成してみました（ChatGPT の GPT-3.5 モデルを利用）。

目次が生成できれば、図３－７のようにそれぞれの章に対して本文を生成できます。

生成された文章は、しっかりと論文の文体になっていますし、論文のテーマを設定した理由もなかなか説得力があります。

あとは、同様に他の章についても本文を生成すれば、論文全体が完成します。

もちろん、生成結果を貼り合わせただけでは、内容の不整合や論理矛盾が発生することが多いです。とはいえ、最後に人が手直しをすれば、従来に比べてかなり短時間で論文

図3-6　ChatGPTによる論文作成（目次）

（入力内容）
「AIの歴史」というテーマで、大学の卒業論文を作成します。
その目次案を作成してください。

（ChatGPTの回答）
はい、AIの歴史をテーマとした卒業論文の目次案を以下に示します。
I. はじめに
・研究の背景
・研究の目的
・研究の方法論
・研究の範囲
（中略）
VI. 結論
・まとめ
・考察
・課題と展望
VII. 参考文献

以上が、AIの歴史をテーマとした卒業論文の目次案です。必要に応じて、各章の内容や項目を調整して、研究の目的に沿った論文を作成することができます。

図3-7　ChatGPTによる論文作成（本文）

（入力内容）
「研究の背景」について、論文の内容を1,000字程度で書いてください。

（ChatGPTの回答）
本研究は、人工知能（AI）の歴史をテーマとして取り上げ、その歴史を概観することで、AIの発展とその応用分野の現状を理解することを目的としています。

現在、AIは、多様な分野で活用され、その応用分野はますます拡大しています。例えば、自動運転車、医療診断支援、製品品質管理、自然言語処理など、人間が行うような高度なタスクをこなすことができるようになっています。AI技術の進歩により、社会や産業において、業務の効率化や品質向上、新たな価値の創造が期待されるようになりました。

しかし、AIの発展には様々な課題が存在し、それらを克服するためには、過去の発展過程や現状を深く理解することが必要です。AIの歴史を知ることで、AIの発展過程を把握し、その課題や未来展望について考察することができます。また、AIを利用することによって生じる社会的・倫理的な問題に対する対策も重要な課題となっています。

本研究は、このような背景に基づいて、AIの歴史を概観することで、AI技術の発展とその応用分野の現状を理解し、課題と展望を明らかにすることを目指しています。具体的には、AIの定義と概要、AIの歴史、AIの応用分野、AIの現状と未来展望などの項目を取り上げ、各分野の発展過程や課題を探求します。また、AIを利用することによって生じる社会的・倫理的な問題についても議論し、AIの適切な利用に向けた対策を考えます。

を作成することができるのです。

もはや、素晴らしいとしか言いようがありません。

先ほど紹介した「研究の背景」の文章を読んで、文章生成ＡＩが作成したと見破れる教員は少ないでしょう。この文章に加えて、学生が自身の研究実績等を付け加えれば、ほぼ完璧な論文の体裁になりそうです。

このように文章生成ＡＩは強力なカンニングツールとなるため、大学等の教育機関にとっては頭痛の種です。

既に上智大学、東北大学、東京大学、九州大学等の日本の大学でも、レポートや論文にChatGPT等の文章生成ＡＩを教員の許可なく使うことを禁止するという動きが出ています。[注5] 論文などで文章生成ＡＩを許可なく使ったことが発覚すれば、厳格な対応を行うとのことです。

おそらく、このような動きは加速すると考えられます。

また、自宅で長時間かけて執筆する論文ではなく、教員のいる教室で小論文をその場で書くという方法や、論文を求めずに対面での面接方式に切り替えるという動きも出てくるでしょう。

技術が進歩すれば、カンニングの方法も進化します。

教育機関も、論文等のこれまでの採点手法を全面的に見直すことが必要になります。

AI作成文章を見分けるツールも誕生

このような問題が多発してくると、文章生成ＡＩで作成した文章を見分けたいというニーズが生まれます。

実際に、そのようなツールも既に提供されています。

例えば、Chat GPT等を提供しているOpenAI自身も、判別ツールを提供しています（図３－８）。

（注５）https://www.yomiuri.co.jp/kyoiku/kyoiku/news/20230408-OYT1T50388/

図3-8 AI生成文章を判別するツール

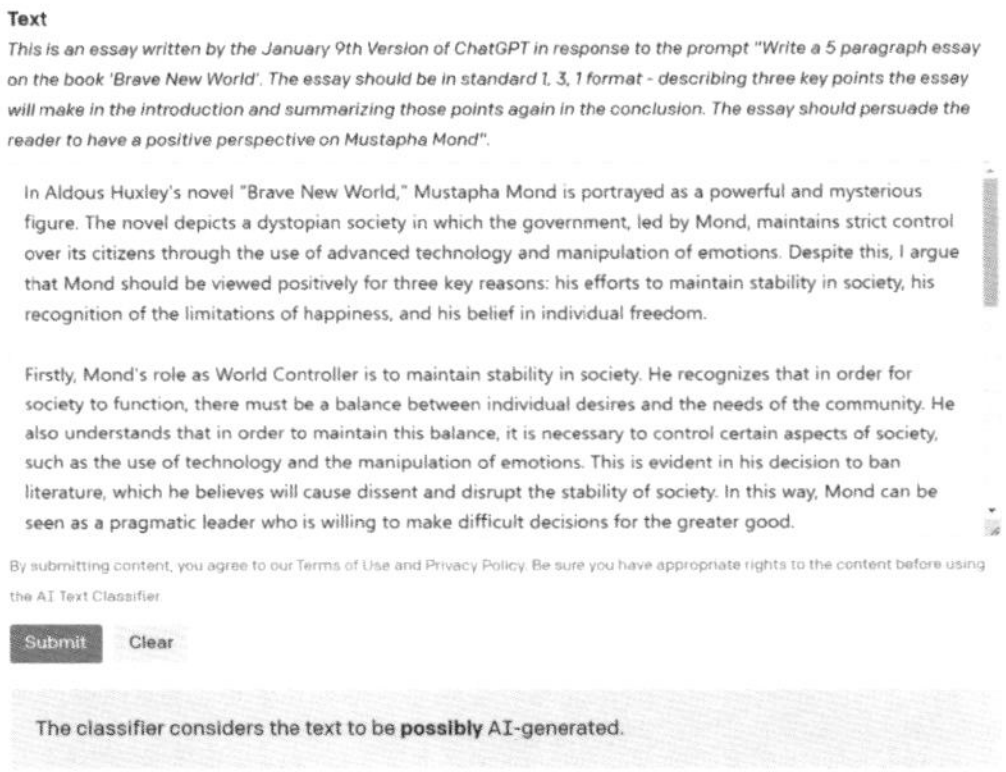

Text

This is an essay written by the January 9th Version of ChatGPT in response to the prompt "Write a 5 paragraph essay on the book 'Brave New World'. The essay should be in standard 1, 3, 1 format - describing three key points the essay will make in the introduction and summarizing those points again in the conclusion. The essay should persuade the reader to have a positive perspective on Mustapha Mond".

In Aldous Huxley's novel "Brave New World," Mustapha Mond is portrayed as a powerful and mysterious figure. The novel depicts a dystopian society in which the government, led by Mond, maintains strict control over its citizens through the use of advanced technology and manipulation of emotions. Despite this, I argue that Mond should be viewed positively for three key reasons: his efforts to maintain stability in society, his recognition of the limitations of happiness, and his belief in individual freedom.

Firstly, Mond's role as World Controller is to maintain stability in society. He recognizes that in order for society to function, there must be a balance between individual desires and the needs of the community. He also understands that in order to maintain this balance, it is necessary to control certain aspects of society, such as the use of technology and the manipulation of emotions. This is evident in his decision to ban literature, which he believes will cause dissent and disrupt the stability of society. In this way, Mond can be seen as a pragmatic leader who is willing to make difficult decisions for the greater good.

By submitting content, you agree to our Terms of Use and Privacy Policy. Be sure you have appropriate rights to the content before using the AI Text Classifier.

Submit Clear

The classifier considers the text to be **possibly** AI-generated.

https://platform.openai.com/ai-text-classifier

このツールに文章を入力すると、次の5段階で判定してくれます。

①very unlikely AI-generated.
（AIの可能性がほとんどない）

②unlikely AI-generated.
（AIの可能性が低い）

③unclear if it is AI-generated.
（AIかどうか不明）

④possibly AI-generated.
（AIの可能性がある）

⑤likely AI-generated.
（AIが生成したようである）

ただ、筆者自身も試してみましたが、そこまで精度は高くないようです。

文末を少し変えるだけで判定結果が変わることもありました。ＡＩが生成した文章であっても、人間が少し手を入れたとすれば、それを判別することが非常に難しくなるかもしれません。

ただ、１つの方向性としては、文章生成ＡＩ側で過去に生成した文章を全て保存しておいて、その保存データと照合して、判別結果を出すという仕組みが考えられるかもしれません。

例えば、ある生徒の感想文の内容を入力して確認すると、95％もの部分がマッチする過去生成データがあり、それが夏休みの終わりに生成されていたということが分かるのです。ここまで分かれば、ＡＩを使ったという十分な証拠になるでしょう。

コンペの審査が困難になる

生成ＡＩが問題となるのは、学校だけではありません。

美術コンテストのようなプロが集う場においても、問題となっています。

図3-9　宇宙のオペラ劇場(Théâtre D'opéra Spatial)

https://medium.com/enrique-dans/its-ai-but-is-it-art-fb7861e799af

米コロラド州の展覧会「Colorado State Fair」（CSF）のデジタルアート部門の公募で1位を取った作品（図3-9）は、画像生成AI（Midjourney）を使った作品でした。

この作者は、AIを使ったことを隠していたわけではありません。応募時の作者名の中でも、Midjourneyを使った作品ということを明示していました。

しかし、画像生成AIが人間の作品を押さえて1位になったということの話題性もあり、この件は世界中に広まるニュースとなりました。

これから、様々な芸術作品の分野で同じようなことが起きるでしょう。

もはや、ＡＩの利用を完全に排除すること自体がナンセンスになるかもしれません。

これまでも、写真やイラストを制作するクリエイターは、アドビ社のフォトショップ、イラストレーター等、業界標準として多数の人に使われている便利なツールを使って作品を作り出していました。画像生成ＡＩも、その延長線上にある便利なツールの１つということで、適材適所で使いこなすということが現実的と考えられます。

犯罪をも誘発しうる生成ＡＩ

もう１つ、我々が直面する重大な課題について説明します。

生成ＡＩは、**犯罪を誘発する可能性もある**ということです。

新しい技術が生まれたときには、それを犯罪に悪用されるという副作用も同時に生まれてしまいます。

・インターネットの掲示板という仕組みが生まれると、それを悪用して薬物等の不正取引、売春、詐欺等の犯罪が増加しました。
・ファイル共有技術（Winny等）が生まれると、音楽や動画の違法アップロードが増加しました。
・カメラ付きのスマホが普及すると、盗撮、カンニングにも悪用されました。
・忘れ物を防止するための位置情報を発信できるスマートタグが販売されると、それを他人の持ち物につけて監視するという犯罪が生まれました。
・空を自由に飛び回るドローンは、兵器としても活用されてしまっています。

新しい技術が便利で革新的であるほど、新しい犯罪を生みだす可能性が大きいのです。

その意味では、生成ＡＩを犯罪に活用できる可能性はかなり高いはずですが、現時点ではどのような犯罪があり得るのか予想がつかないことも多いです。

現時点で報道、予想されている範囲で、犯罪についての考察を行います。

マルウェアの作成

文章生成ＡＩは様々な質問に親切に答えてくれるのですが、それは犯罪者に対しても同様です。

コンピューターウイルスを含めたマルウェア（悪意のあるソフトウェア）を生み出すのは、相当知識がないとできないことでした。

しかし、文章生成ＡＩに問い合わせた際に、マルウェアの作り方（プログラムのソースコード）を教えてくれることがあったようです。[注6]

もちろん、単純な質問で答えを引き出せたわけではなく、質問に際していくつかの工夫を行ったようです。

また、文章生成ＡＩ側でも事前に様々な対策をし、このような犯罪に使われそうな情報を出力しないように調整を行っています。サービス開始の初期の頃は、特定の方法を使うとマルウェアに関するプログラムを出力するという事例もあったようですが、現時点では同じ方法が使えないように修正されています。

（注6）https://internet.watch.impress.co.jp/docs/news/1471939.htmlより、事例１：インフォスティーラーの作成

詐欺への応用

生成ＡＩは人間と見分けがつかないということが特徴なので、裏を返すと人間になりすますという犯罪に使われる可能性があります。

過去にも、ＡＩ等の技術を使って様々な詐欺事件が発生しています。

例えば、ある英国を拠点とするエネルギー企業のＣＥＯに対して、親会社のＣＥＯの偽音声を使って、22万ユーロ（約2、600万円）を振り込ませるという事件が発生しました。このとき使われた音声が、ＡＩを使ったものであると言われています。[注7]

このような犯罪の背景として、真似する相手（この場合は親会社ＣＥＯ）が有名人であったため、様々なメディアで動画や音声等が公開されており、それをＡＩが真似するための学習材料が豊富であったということがあります。

少なくても、これからの時代を生きる私たちは、本人そっくりの音声や動画でいつもと違う指示があったときに、その真偽を疑ってみるというリテラシーが必要となりそうです。

人の仕事が奪われるリスク

最後に、多くの人が心配している根源的なリスクについて説明しましょう。**人の仕事が奪われてしまうというリスク**です。

このリスクは、いくつかの業界では現実のものになるでしょう。

これまでにも言及したように、イラスト等を作成しているクリエイターの仕事は、AIに奪われる部分が少なくないでしょう。

また、この本を執筆している筆者のような仕事も、まさに文章生成AIが得意とするところです。筆者も、そろそろ次の仕事を考えなければならないと感じながら、この本を書いています。

（注7）https://xtech.nikkei.com/atcl/nxt/mag/nnw/18/041800012/121900195/

この点については、次章で将来の社会変化を予測しながら、具体的に考えてみることにします。

特に生成ＡＩが直接的に影響を及ぼす先として、検索エンジン、広告業界、クリエイター等の仕事について深掘りしていきます。

Midjourneyの使い方

Midjourneyの使い方は、少し独特です。

画像を生成するためには、Discordというチャットツールを使ってプロンプトを入力することが必要です。

Discordのアカウントが必要となるので、持っていない人は事前に公式サイト[注8]から登録してください。

Discordのアカウントが準備できれば、Midjourneyを利用するための準備に進みます。簡単にその手順を説明します。

（注8）https://discord.com/

① Midjourney のウェブサイト(https://midjourney.com/)で、右下にある「Join the Beta」を押す。

② Discordというチャットツールへの招待が表示される[注9]ので、「招待を受ける」を押して次に進む。

(注9) あらかじめ、Discord のアカウントを持っておくことが必要です。

③ 画面左側に表示される様々な「部屋」の中に入る。[注10]

（注 10）初めての方は、NEWCOMER ROOMSという場所に、Newbie（初心者）という名前から始まる部屋がいくつかあるので、そこに入ってみてください。

④ チャットをする感覚で、以下のコマンドを打つ。

- 最初に「/imagine」と入力する
- すると、「/imagine prompt」という部分までが自動表示されるので、その後にプロンプトを入力する。

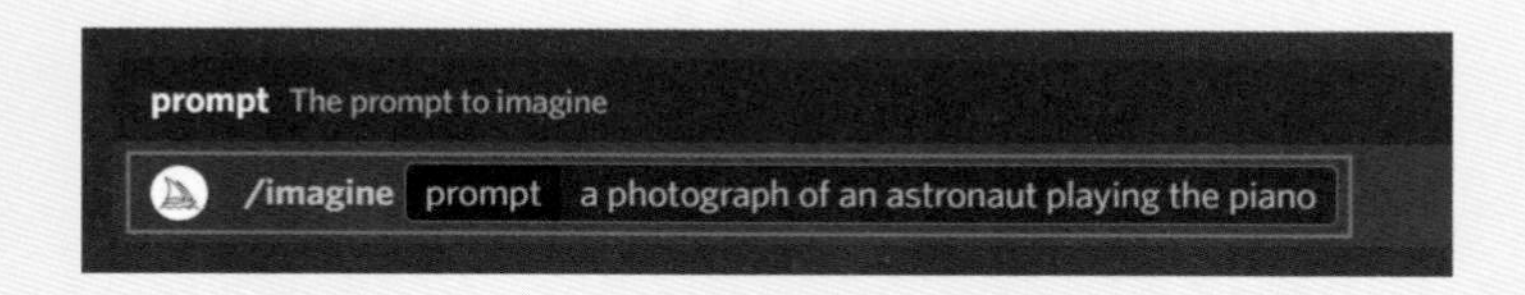

⑤ しばらく待つと、画像が生成される。最初のうちはぼやけた画像だが、次第に精緻になっていく。進捗率が100%となれば完成。

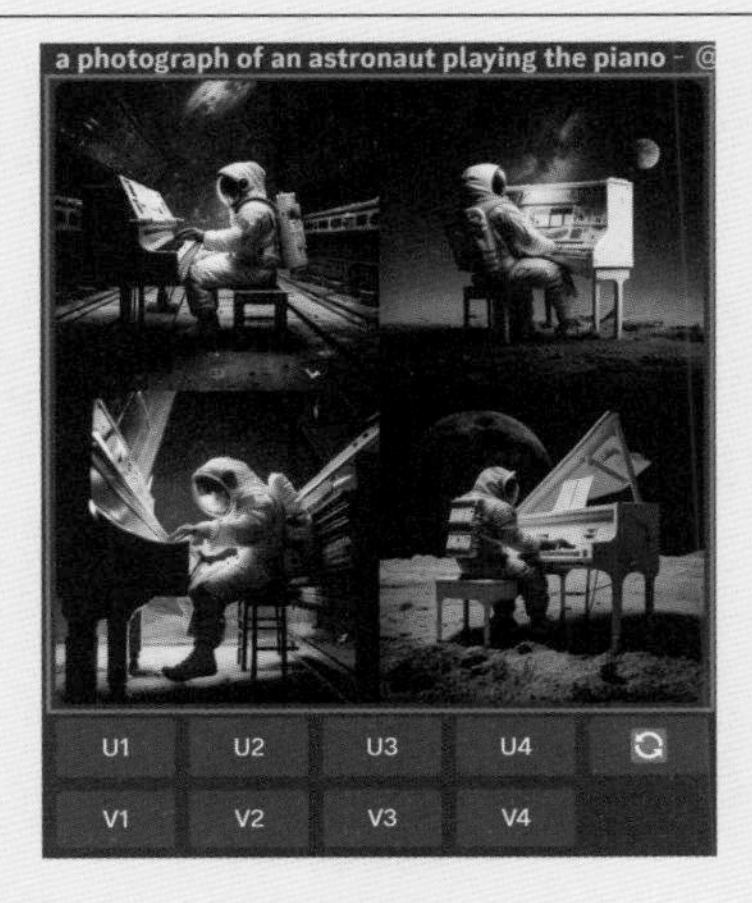

さらに画像を調整することもできます。

U1 ～ U4 ＝ 指定した番号の絵を高解像度化する
V1 ～ V4 ＝ 指定した番号の絵と似たデザインのものを再生成する
更新ボタン ＝ もう一度新しく 4 枚の絵を作り直す

4

無限の可能性を予測する

本書の冒頭で、生成ＡＩが破壊的イノベーションであることを説明しました。

過去に、iPhoneが出版業界、広告業界、ゲーム開発やアプリ業界、カメラ業界、音楽業界など多くの業界に激震を与えたように、生成ＡＩによって、また様々な業界構造を一変させるような新たな**破壊的イノベーション**が始まるのです。

例えばこれまで、広告の力は偉大でした。どんなに中身の薄い書籍だったとしても、タイトルと表紙を工夫し、有名人による紹介文を添えれば、飛ぶように売れていきました。ネットの記事も、YouTubeの動画も同様です。ＳＥＯ対策（検索エンジンで上位になるような工夫）や広告出稿等にお金をかければ、アクセス数が激増するという仕組みになっていました。

しかし、生成ＡＩの時代が本格的に到来すれば、このような表層的な「ごまかし」は無力なのです。

生成ＡＩは全ての情報を読み取って把握して、過去の学習経験則から**最も有用な回答**を返します。そこには、基本的に表層的な小細工が通用する余地がないのです。

逆に言うと、地道にコツコツと有用な情報発信を続けていた人にとっては、明るい未来が差し込みます。その有用な記事を生成ＡＩが見つけてくれることで、その情報を必要とする人に対してダイレクトにつないでくれるのです。

私たちは変化の激しい時代に生きています。若い頃に習得した技術で一生働いていけるということはむしろ稀であり、変化に対応して、その時々で求められる技術を身につけなければ仕事を失ってしまいかねないという、過酷な世界に生きているのです。

変化の激しい世界で楽しく生きるコツは、**変化のきっかけを機敏に察知し、自らが率先して変化に適応していくこと**です。

そのためにも、**今後起きるであろう変化**について、冷徹に分析を行いました。

この分析を1つの材料として、読者の方々にも今後の世界を予想していただければありがたいです。

変化は日常にも訪れる

検索エンジンは大きく進化する

インターネットが世の中に普及した当初から今まで、私たちがインターネットの情報を探す一番の入り口は**検索エンジン**でした。その検索エンジンの役割が抜本的に変われば、私たちがインターネットを利用する方法も大きく変わります。まずは、これから始まる変化の最初の舞台となりそうな、検索エンジンについて、今後の展開を予想しましょう。

利用者は、何らかの情報を探すために検索サービスを利用します。

これまでの検索サービスでは、探している情報を載せていそうなウェブページの一覧が得られました。ただ、利用者自身がそこに示されたリンク先のウェブページを読み込んで、探したかった情報を発見するという手間が必要です。

一方で、文章生成ＡＩを使えば、質問をするだけでダイレクトに探していた情報を入手できるのです。しかも、情報を探す（質問／回答）だけでなく、情報を作り出すこと（記事生成、比較、要約、再構成）も、新たな付加価値を生み出すこと（プログラム作成等）もできるのです。

これはまさに、**破壊的イノベーションである**と言えます。

検索エンジンと生成ＡＩの違い

今使われている検索エンジンは、ウェブ上にある情報の表面を上手く分析して、有用性を判断し、それを検索結果に反映しています。実際に行われていることとしては、世界中の様々な記事のタイトルや本文から、キーワードを抽出してインデックス（目次）に登録し、その記事へのリンクの多さや、過去のアクセス状況等に基づいて、順位付けをして検索結果を表示します。その情報の取捨選択こそが検索エンジンのコア機能だったのです。

だからこそ直近20年間は、自社商品をアピールしたい企業側が、検索結果の上位に表示されるように**SEO対策**を行い、検索エンジン側が特定企業に有利となりすぎないように、コンテンツの評価基準を見直すというイタチゴッコが続いていました。

一方で、生成AIが評価するのは、情報の表面だけではなく、**情報そのものの全て**です。この段階になると、イタチゴッコが基本的に成立しなくなるのです。

これまでSEO対策や広告に依存していた人たちは、なんとかして生成AIの目をかいくぐって、自分の記事を上位に表示させたいと思うでしょう。

初期のうちは生成AIも完璧ではないので、そのような小細工に引っかかってしまうこともあるかもしれません。しかし、生成AIがその能力の真価を発揮するころには、そのような小細工は全く通用しません。利用者が質問している意図を正しくくみ取り、その利用者のニーズに最も適した情報を、膨大な蓄積情報の中からピンポイントで見つけて回答を作るのです。

利用者にとっても、この2つの使い勝手には圧倒的な差があります。

検索エンジンは、いわば**図書館の司書**のような存在です。欲しい情報を伝えれば、その情報が載っていそうな本を提案してくれます。

それに対して、生成ＡＩは**何でも知っている先生**です。欲しい情報を伝えれば、その答えをピンポイントで教えてくれます。それに加えて、なぜその答えになるのか詳細を知りたい人のために、根拠となるソースも教えてくれます。

これまで、私たちは検索エンジンが提供する「間接的」な情報で十分に満足していましたが、生成ＡＩが提供する「直接的」な情報に触れるようになれば、もう後戻りすることはできないでしょう。

アシスタントAIという1つの着地点

そして、この争いには、おそらくアップルとアマゾンも参戦してくるでしょう。

その理由を、順を追って説明していきます。

グーグルのような検索エンジンが使われなくなった世界では、人々はどこを入り口にして情報を探すのでしょうか。

ここで、ついに**アシスタントAI**というサービスに光が当たるかもしれません。アシスタントAIとは、利用者が会話などを通して、日常的に利用できる便利なAIのことです。

利用者が困ったときに何でも助けてくれる、アシスタントとしてのAIは、古くからSFやマンガ等に描かれてきました。

例えば、1997年に発売されたMicrosoft Office（Excel等）には、画面右下にイルカがいたことを覚えている人もいるでしょう。オフィスアシスタントという名前で、利用者が困ったときに操作方法を教えてくれるという存在でした。

ただし、当時はまだまだアシスタントとしての能力が十分ではなく、質問にまともに答えられないばかりか、必要のないときにまで登場してフリーズの原因になるなど、邪魔者扱いされてしまいました。その後のバージョンアップのときに、ひっそりとイルカは姿を消すことになりました。

最近、このアシスタントの役割を担うものとして、「**音声アシスタント**」というAIが普及してきています。有名なのは、次の3つでしょう。

- **アップルのSiri（シリ）**：iPhone
- **グーグルのグーグルアシスタント**：Androidスマートフォン
- **アマゾンのAlexa（アレクサ）**：ＡＩスピーカー（Echo）

利用者の音声をまずまずの精度で認識してくれるので、ある程度は会話を通じて思い通りに操作することができます。

ただ、現時点では音声で指示できることは限定的です。「音楽をかけて」、「この言葉の意味を調べて」、「部屋のライトをつけて」、というような決まり文句には対応できますが、自由な会話は全くできず、融通も利きません。

つまり、これまではアシスタントＡＩに対する夢はありながらも、到底その夢に近づけるほどの技術はなかったのです。

しかし、生成ＡＩの技術は、音声アシスタントの機能を一変させるでしょう。自然な会話で人間と受け答えを行い、人間が意図したことを実行できるようになるでしょう。

今までずっとおもちゃのような物でしかなかったアシスタントＡＩですが、ついに本格的に人間と対話できるサービスが生まれてくるはずです。

肝はパーソナライズ

生成ＡＩの能力をさらに向上させるには、大きく２つの方法があります。マクロ方面からのアプローチと、ミクロ方面からのアプローチです。

マクロ方面からのアプローチとしては、さらに**ＡＩとしての性能**（膨大な計算処理を実行するハードウェア等）を高めていくという方法になるでしょう。これにより、世界中のテキスト、画像、映像、データベース、その他ありとあらゆる情報に対して、著作権等の問題をクリアしつつ学習範囲を増やしていくことができるのです。既に信じられないほどの規模の情報を、圧倒的なコンピューティング性能で学習しているのですが、さらに巨額の投資を背景に、規模と性能の拡大が続くでしょう。

一方で、ミクロ方面からのアプローチとして、**ＡＩの能力**を高めることも有効です。

図4-1　回答内容の違い(イメージ)

[依頼内容]
今週末に家族で遊びに行ける、自然が豊かな場所を探して

[従来の検索エンジンの回答]
・【関東近郊】週末にオススメな場所、Top10
・子どもの遊び場、大特集
・関東から1時間半で行ける自然スポット

[一般的な生成 AI の回答]
自然が豊かな場所を探しているんですね。
日本には緑の絶景スポットがたくさんありますよ。例えば、新緑や苔、棚田などが美しい白川郷や、世界遺産にも登録されている屋久島などはいかがでしょうか?もしくは、都内から日帰りで行ける自然スポットもあります。公園や庭園、渓谷や山などが楽しめる奥多摩や、海と山の景色が素晴らしい三浦半島などもおすすめです。

[パーソナライズされた生成 AI の回答]
先週、千葉県の南房総市に1泊で旅行された時には、釣りの写真をたくさん撮っていましたね。今度は、渓流釣りなどいかがですか。埼玉県の秩父荒川や、少し遠くなりますが群馬県の利根川水系がおススメです。
または、最近興味を持たれている山歩きなどはどうでしょうか。高尾山には2年前に一度登られているので、茨城県の筑波山もオススメですよ。

これこそが、**パーソナライズ**です。個人の好み、経験、考え方、価値観など、様々なデータを背景にして、その個人に特化して対応するという方法です。

では、パーソナライズされたAIには、どのようなメリットがあるのでしょうか。具体的な例でイメージしてみましょう。週末に遊びにいく場所を尋ねてみます(図4-1)。

従来の検索エンジンは、間接的に情報が載っているウェブサイトを教えてくれるだけでした。

その場合は、教えてくれたサイトをそれぞれ巡回しながら、利用者自身が多くの情報を調べなければなりません。

それに対して、一般的な生成ＡＩであれば、直接的に答えを返してくれます（この回答は、Bing AIチャットの実際の回答を参考にしました）。

ただ、このＡＩは利用者の特性を全く知りません。どこに住んでいるのか、どのような遊び方が好きなのか、過去にどんなところに行ったことがあるのか、そのようなことを全く知らないので一般的なことを回答するしかありません。

その結果、白川郷（岐阜県）、屋久島（鹿児島県）、奥多摩（東京都）など、あまりにも広い範囲で答える形になっています。

パーソナライズされた生成ＡＩは、非常に親切です。

これまでの利用履歴の中で、**利用者についての特性情報**を把握しているからです。すなわち、住んでいる場所（東京都内）、趣味（釣りや登山）、過去に行ったことのある場所（南房総市、高尾山）、最近の興味（登山の本をよく読んでいる）といったことを背景知識として、ピンポイントで回答を返してくれるのです。

そして、アシスタントＡＩは、このパーソナライズという点で、非常に有利な位置にいるのです。

普段から肌身離さず持っている**スマホ**。そこに搭載されたアシスタントＡＩが、利用者の日々の質問や依頼事項に答えながら、利用者の行動履歴や考え方を学習し続けます。その学習が進むほど、利用者にとって手放せないＡＩになるでしょう。


もちろん、プライバシーの観点も含めて、克服しなければならない課題も色々とあるでしょう。もちろん、アシスタントＡＩを使いたくない人には、ＡＩを使わず、データも取得しないという選択肢は残すべきです。

アシスタントＡＩが便利と思う人に使ってもらうことができれば、サービスとしてどんどん発展していくことができるでしょう。

これから5年間が勝負

先ほど、大事なことをさらりと書いてしまったので、もう一度書きます。

アシスタントＡＩは、利用者にとって手放せないＡＩになります。

つまり、一度アシスタントＡＩを使い始めると、**他のAIに乗り換えることが難しくなる**ということです。

これまで学習してきた自分に関する情報を全て捨てて、また何も知らないＡＩと、初めから学習をやり直すというのは、相当面倒なことになるでしょう。

すなわち、何らかのきっかけで最初に使いだしたＡＩ、そのＡＩが長期にわたって使い続けられる可能性が高いのです。

つまり、問題は、どの企業が最初の実用的なアシスタントＡＩを出すか、どの企業がアシスタントＡＩにおける**デファクトスタンダード**（事実上の標準）を握るかということです。

グーグルとマイクロソフトはもちろんのこと、アップルもアマゾンも、そしてメタ（旧Facebook）も含めて、数多くの企業が将来の覇権を目指して争うことになるでしょう。

２００７年にiPhoneが発表された後、日本でのスマホの保有率がどう推移したかを図４-２にまとめました。

図4-2　日本のスマホ保有率

iPhone発売からの年数	世帯保有率
3年後（2010年）	10%
5年後（2012年）	50%
10年後（2017年）	75%

令和２年度版 情報通信白書より

これによると、5年間で、日本中の半数の人が自分自身でスマホを利用する状態になったのです。

最近では、良いサービスが普及する速度はもっと速くなっているでしょう。

おそらく、今から5年後の２０２８年には、検索エンジンの後継を担う生成ＡＩを巡って各社が勝負した結果が、誰の目にも明らかな状態になっているはずです。

ChatGPTのプラグイン

（本文は216ページに続きます）

本書を執筆している最中にも、どんどんと新しいニュースが飛び込んできます。

2022年3月にOpenAIがChatGPTのプラグインについて発表しました。

これは、レストラン紹介サイト、レシピサイト、ECサイト等の様々なサービスと連携できるという機能です。ChatGPTが学習しているデータに加えて、専門サイトの最新の情報を活用できることになります。

例えば、ChatGPT上で対話しながら、レストラン紹介サイトと連携して良いレストランを探すことができます。夕食のレシピを考えるときもレシピサイトと連携し、カロリー計算まですることができます。そして、そのメニューを作るための食材を買おうと思えば、ChatGPTが提示したリンクをクリックすることでECサイトの購入ページにジャンプすることができるのです。

ChatGPTプラグインのデモ画面（レシピの食材購入）

https://openai.com/blog/chatgpt-plugins

その他にも、多種多様なプラグインが開発される見込みです。

ChatGPTをiPhoneに例えるなら、ChatGPTプラグインはAppleストアに該当するというコメントが紹介されていましたが、まさにその通りです。ChatGPTを入り口として、様々なサービスと連携することができれば、本書で説明するアシスタントAIとしての役割を担えるように大きく前進することになります。

検索エンジンの変化は広告業界に波及する

インターネットの一番の入り口は検索エンジンでしたが、その検索エンジンを含めてインターネットの発展の原動力となったものが**広告**です。各企業の莫大な広告費がネット広告に流れ込むことで、この業界の繁栄を支えてきました。

その広告業界ですが、歴史的に見ても激変の嵐が常に吹き続いている業界です。

昭和時代は、テレビ、新聞、雑誌、ラジオといったメディアへの広告が主流でした。平成に入ってからしばらくすると、インターネットの普及が始まります。そして、ネット広告の比重がどんどん大きくなっていきました。

初期のネット広告では、ディスプレイ広告（アクセス数の多いウェブサイトにバナー広告等を出す）や、リスティング広告（検索エンジンでユーザーが検索したキーワードに関連した広告を出す）といった方法が主流でした。

平成20年代になると、スマホの普及が始まります。

ネット広告のターゲットも、ＰＣからスマホのユーザーへと重点がシフトしていきました。

また、ネット広告の形態も多様化します。動画広告や、ＳＮＳ広告、ウェブメディアと提携する記事広告、アフィリエイトと呼ばれる成果報酬型広告など、様々な手法が使われるようになりました。

また、**アドネットワーク**というサービスが成長し、複数のウェブサイトの広告枠に対して、一括して広告を配信できるようになっています。

そして、広告主側も、これらの様々な広告を使いこなし、出稿した広告の成果を見ながら広告方法を変えていくというウェブマーケッターとしての役割が重要になっています。

このように変化の激しい広告業界ですが、生成ＡＩがネット広告に組み込まれることによって、また激震に見舞われることが予想されます。

リスティング広告の比重低下

リスティング広告とは、検索エンジンでユーザーが検索したキーワードに関連して、広告を出すという仕組みです。Google広告（旧Google AdWords）、Yahoo!広告等がよく使われています。

リスティング広告は、当然のことながら多くの利用者が検索エンジンを利用するからこそ、広告としての価値がありました。

例えば「50代 シワ」という言葉で検索する利用者は、シワを改善するための化粧品を販売する企業にとっては、この上ないターゲット顧客です。

このようにピンポイントにターゲット顧客にアプローチできるからこそ、リスティング広告に多額の金額が費やされていたのです。

しかし、生成ＡＩが出現すると、従来型の検索エンジンが使われる機会が少なくなっていきます。前述したように、図書館の司書のような間接的な回答よりも、利用者の質問

に直接的に答えてくれるほうが便利だからです。リスティング広告の重要性は低下します
し、上位の検索結果を狙うＳＥＯ対策についても必要性がなくなっていくでしょう。

端的に言うと、**小手技が通用しなくなる**ということです。
リスティング広告では、多くの人が検索しそうなキーワードほど広告単価が高く設定
されていて、その広告枠を購入することで、検索結果の上位に表示することができまし
た。つまり、**お金を払えば利用者の歓心を買うことができる**という単純な仕組みでした。
そのような小手技が、これから段階的に淘汰されていくことになりそうです。

そして、従来型の検索エンジンに代わるものとして、個人のデータを総合的に把握し
た、生成ＡＩの技術を使って回答や対応を行う、アシスタントＡＩのようなサービスが主
流になると予想できます。

図4-3　シワを改善する方法についての回答

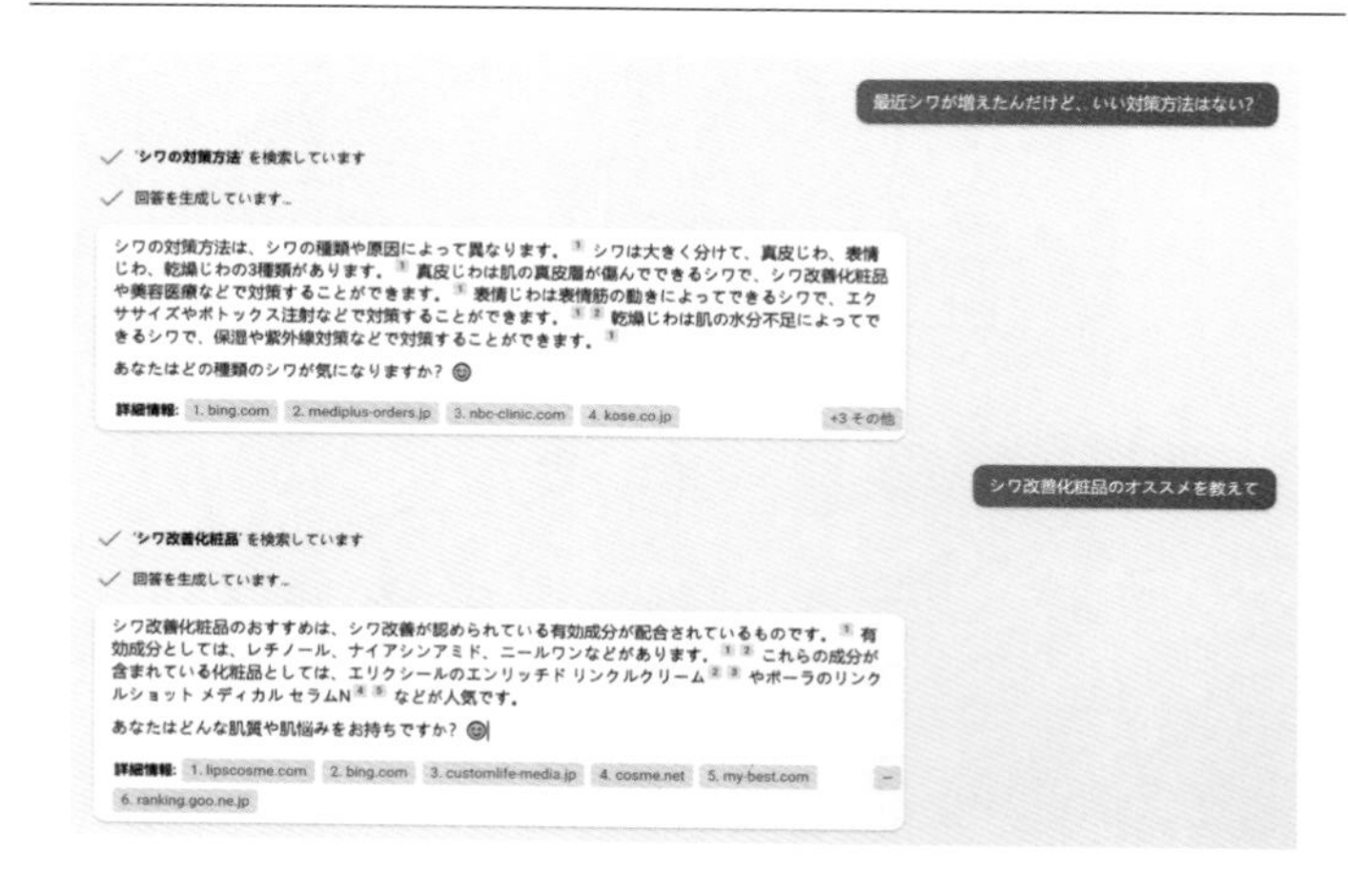

生成AI時代の広告

では、生成ＡＩ（アシスタントＡＩ）が広まったときに、広告はどのような形態になるのでしょうか。

そのヒントを、現存のサービスから探ることができます。

文章生成ＡＩのBing AIチャットに、シワを改善する方法について実際に質問してみました。すると、大前提として有効成分のことを説明した上で、図４-３のようにちゃんと具体的な商品名も答えてくれました。

ただ、その根拠となっているのはメー

カーの公式サイトや、通常の広告記事ではないようです。

専門家がある程度**中立的な立場から幅広く商品を比較しているサイト**から、その上位に挙げられている商品を選ぶという傾向があるようです。今回の例では、次のサイトが根拠となっていました。

- **コスメの口コミサイト**
- **モノ選びの専門サイト**
- **コスメの総合サイト**
- **商品比較サイト**
- **ランキングサイト**

他の商品を調べても、基本的に同じような回答傾向です。

インスタントコーヒー、洗濯機、電子ピアノ、チェーンソー、色々な分野の商品について検索してみましたが、中立的な比較サイトや専門サイトの情報を根拠にしてオススメの商品を教えてくれました。

おそらく、Bing AIチャットのような文章生成AIを一般公開する準備作業の中で、**中立性という観点**から相当な検証を繰り返して、恣意的な回答をしないようにチューニングされているのでしょう。

AIが1つでも誤った回答をすると、ネット社会ではすぐに炎上してしまいます。過去にもAIが差別用語を書いてしまったり、ヘイト発言的なことを書いてしまったりして、炎上したというケースがありました。[注1]

特定の企業を優遇するような発言傾向があれば、それも炎上の原因になりかねません。その企業から金銭をもらっていようがいまいが、いずれにしてもAIには今までのサービス以上に客観性、中立性が求められてしまうのです。

AIは、専門的観点からの客観的な情報を非常に重視します。そのような専門サイトで高評価が得られるように、地道に商品を改善し利用者の声に応え続けないと、商品を広く認知してもらうことが難しくなるのです。

すなわちリスティング広告やSEO対策のように、商品価値に関係なく広告費を積んで利用者の歓心を買うという手法が難しくなります。

生成ＡＩが広まれば、一般大衆(マス)向けだけでなく、専門家向けの本質的な情報発信こそが広告のポイントとなります。

類似商品の中から数秒で購入するものを決める一般利用者だけでなく、専門的観点から、じっくりと類似商品を比較する人に向けても、しっかりと情報を開示し、自社商品の長所を根拠とともに丁寧に説明するという活動が、企業の広告活動（マーケティング活動）として重要になるはずです。

ここまでの話をまとめましょう。

①利用者は、従来型検索エンジンよりも生成ＡＩを使って情報を探すようになる。
②従来型検索エンジンの利用数が減るので、検索結果に表示される広告（リスティング広告）やＳＥＯ対策の重要性が低下する。
③生成ＡＩは中立的立場での専門サイトを重視するので、専門サイトで自社商品が紹介されることが今後の広告のポイントとなる。

（注１）２０１６年にマイクロソフトが研究目的で公開していたチャットボット「Tay(テイ)」が様々な差別発言を行ってしまい、わずか１日で公開停止することとなった。

④自社商品を広告したい企業は、専門家向けの本質的な情報発信に力を入れるべきである。

これは、**利用者の立場からも歓迎すべき変化**です。素晴らしい商品がしっかり評価されて、利用者に対して的確におススメされるという方向に変化するからです。

生成AIでのマネタイズ方法

しかし、グーグルはリスティング広告等による莫大な収入があったからこそ、利用者に無料で検索サービスを提供できていたわけです。

では、生成ＡＩを提供する企業は、**今後どのように収益を上げていく**のでしょうか。

まず、当面の間は、露骨なマネタイズには走らないでしょう。

今は、巨大ＩＴ企業各社が、生成ＡＩの次世代標準を狙って、しのぎを削っているフェーズです。この段階で中途半端に広告等を入れて、利用者体験を損ねることで利用者を減らしてしまうことがあれば本末転倒です。資金面でも人材面でもまだまだ余裕のある企業ばかりですから、しばらくの間は先進的な無料サービスを掲げて、利用者獲得競争に集中することになるでしょう。

では、ある程度、生成ＡＩの分野で「勝ち組」となる企業が決まってきたあとはどうなるでしょうか。

マネタイズの方法としては、かなり多くの選択肢があるでしょう。

広告の導入

やはり、ＡＩの回答結果に広告を入れるというビジネスモデルは出現するでしょう。

ただ、ＡＩの回答自体を恣意的にゆがめることはご法度です。現在でも、そのような行為はステルスマーケティングとして忌み嫌われており、そのことが発覚してしまった際には大きな企業ダメージを負います。それに、ステルスマーケティングについては法規制[注2]も入り、措置命令などの行政処分の対象になることもあります。

（注2）景品表示法の改正。２０２３年10月から施行。

そのため、ＡＩが回答する部分とは明確に分けて、**広告であることを明記**した上で関連広告を表示するというスタイルになるでしょう。

もちろん、広告を表示する方法にも様々なバリエーションがあります。

例えば、超高性能なＡＩについては基本的に有料という設定にしておいた上で、同じＡＩを**広告付きであれば無料**で提供するというビジネスモデルが考えられます。

YouTubeも基本的にこのビジネスモデルです。月額１、１８０円（本書執筆時点の価格）を払ってYouTube Premiumに加入すれば広告なしで動画を楽しめます。無料会員でも動画を楽しむことができますが、広告が時々入ります。

電子書籍端末のKindleにも同じ仕組みがあります。Kindleの端末を購入するときに、広告付のモデルを選べば数千円安く購入することができます。そのモデルでは、Kindleを使わないときのロック画面に企業の広告が表示されます。

また、もっと斬新な広告キャンペーンも考えられます。**ピンポイントに豪華な広告**を実施するという方法です。

広告主にとっての理想的なターゲット顧客を絞り込み、その少数の特定顧客に対して素晴らしい特典をつけて広告を見てもらうのです。

例えば、旅行会社にとって、週末に家族で出かける場所を探している人は、本命のターゲット顧客です。

このような顧客に対して、「10分間のコマーシャルを見るだけで500円のギフト券を贈る」というような特典付きで広告を打つのです。

顧客側は、このコマーシャルのウェブサイトに進んで、動画を見たりクイズに答えたりする広告ツアーに参加するだけで、ギフト券をもらえます。

広告主は、事前に自分のターゲット顧客となる属性を細かく指定しておいて、ぴったり該当する顧客にだけ、広告ツアーを案内するように設定します。アシスタントAIは個々の利用者の好み、習慣、考え方、価値観を把握しているので、本当に広告主が求めている顧客に対してのみ豪華な広告ツアーを提供するということが可能となります。ですので、500円のギフト券を付与するという大盤振る舞いをしても、それ以上に広告効果が出る可能性が高いのです。

なお、広告動画を見るだけで500円がもらえるとなると、ターゲット層から外れる人まで小遣い稼ぎで広告ツアーに参加するという懸念を持つでしょうが、その点についてはあまり心配ありません。アシスタントＡＩの機能と連携すれば、そのような状況をかなり避けることができるからです。利用者の過去の履歴を見ればそのようなフリーライド目的であるかは判別できますし、そのような利用者へは広告ツアーへの参加案内をしなければよいだけです。もちろん、アシスタントＡＩも利用者の許諾なく個人情報をばら撒くわけではありません。許可された情報だけを広告主に提供します。例えば、旅行に関する基礎情報や好みについて旅行会社に情報提供することを許可した利用者のみが、広告ツアーに参加できるというようになるでしょう。

特典のつけ方も様々な手法があるでしょう。コマーシャルを見ることに特典をつけるだけでなく、広告された観光地に実際に行けば、追加の特典をつけるということもできるでしょう。利用者が観光地を訪れたかどうかは、スマホの位置情報等で確認することが容易です。

専門分野ＡＩの導入

もちろん、広告以外にも、付加価値をつけたサービスを有料で提供することでマネタイズする方法があります。

例えば、法律、会計、医学、薬学、ＩＴ……といった専門分野に特化したＡＩを作り、それを有料で提供するという方法です。

裁判所の過去の判例を全て読み込んで、そのデータをもとに様々な質問や依頼に応えてくれるＡＩができれば、法曹界を中心に大きなニーズがあるでしょう。

また、今の生成ＡＩには、かなり「**フィルタ処理**」が入っています。たとえＡＩがもっと的確な答えを詳細に答えられる実力を持っていたとしても、一般公開した際に想定外の使われ方をされないように、基本的な概要のみを出力するように抑えているのです。

今後、このような模範的で一般的な回答をするＡＩだけでなく、回答結果をフィルタされない「生に近い」ＡＩを使いたいというニーズも出てくるでしょうし、一般公開ではない形（有料プラン）にすれば十分に実現できるでしょう。利用規約を定め、利用ログを取って、不適切な利用方法をしていればアカウントを停止するようなシステムでセキュリティ面を強化すれば問題がなくなります。このような形態も、マネタイズの１つの選択肢となります。

広告の話からずれてしまったので、話を戻しましょう。

広告の作り方も進化する

既に文章生成ＡＩで事例を説明したように、広告を作るプロセスにも、生成ＡＩは深く関わってきます。

これまでは経験のある専門家の独壇場であったコピーライティングについても、広告の目的、対象顧客、テーマ、媒体に応じて、素晴らしい品質で文章を作成できるようになっています。

完全自動化というよりは、ＡＩが生成した結果をもとに、人が確認、修正するという共同作業になることが現実的ですが、いずれにしても広告を作るプロセスにも生成ＡＩの存在感が大きくなります。

また、それは**モデル業界**にも影響するでしょう。

画像生成ＡＩ、動画生成ＡＩで見たように、実際の人間のモデルがいなくても、自動生成したバーチャルなモデルに様々な動きをさせたり、話をさせたりすることが可能になっています。

人間のモデルを雇う場合に比べて、AIで生成するコストははるかに低くなるため、今後はモデルを使う領域にもAIが進出する可能性は高いです。

ただ、一方で、人間のモデルを使っているということに、今以上の価値が出てくるかもしれません。AI生成画像がほとんど見分けがつかないとはいえ、様々な周辺情報等を含めて、その広告に登場しているのが人間なのかAIなのかについては見ている人には伝わってしまいます。

ここ一番で訴求力の高い広告を作る際には人間のモデルを、多種多様な広告を安価に作る際にはAIが生成したバーチャルモデルを、という使い分けになっていくのかもしれません。

「うざい広告」から「ありがたい広告」へ

広告に関連する周辺話題も含めて色々と書いてきましたが、まとめると**利用者にとっ**

て必要な広告がピンポイントで表示される、そういう世界にゆっくりと近づいていくということです。

今まで、テレビのCMも、YouTubeに挟まれる動画広告も、基本的に利用者にとっては「うざい」ものでした。

広告主からすると、この時点で大失敗です。せっかくお金をかけて広告しているのに、大半の利用者からは不必要で邪魔なものと思われています。下手をすると、マイナスイメージすら与えかねません。

ただ、これまでの広告では99％の人から「うざい」と思われたとしても、1％の人が商品に興味を持ち実際に購買行動に移してくれれば、それで十分に費用対効果があったのです。

この状況は、例えると1粒の砂金を掘り当てるために、河原一帯の砂をひっかきまわして川を汚しているようなものです。

これに対して、生成ＡＩが普及し、さらにアシスタントＡＩのように個人の様々な情報も把握するサービスが浸透すると、広告主は自社商品に興味を持つ可能性が高い一握り

図4-4　広告の変化のイメージ

従来の広告のイメージ
（砂金を求めて砂全体を掘り起こす）

「in order to dig up a grain of gold sand, they are bulldozing the sand all over the riverbanks and polluting the river.」

将来の広告のイメージ
（砂金をピンポイントで探す）

「Identify a location in the riverbed where there is likely to be gold sand, and dig there with pinpoint accuracy to obtain gold sand.」

Midjourney で生成

の層に対して、**ピンポイント**で訴求力の高い広告を打てるようになります。

つまり、砂金がありそうな場所をかなり特定して、そこだけを掘れば砂金を得られるのです。

それに、これは利用者にとってもありがたい状況です。自分が欲しいと思っていた商品をピンポイントでおススメしてくれるのです。図4－4のイメージです。

嫌がられる「**うざい**」広告ではなく、感謝される「**ありがたい**」広告。

この理想の状況が実現できるような技術的背景が、ようやく整いつつあるのです。

不特定多数の大衆（マス）に向けたマスメディア、つまりテレビ、新聞、雑誌、ラジオ等の広告も、まだ当面の間は残り続けるでしょう。これらのメディアが好きで価値を見出している人が根強くいるからです。

一方で、ネット広告においては、不特定多数を対象にした効果の低い広告はどんどん淘汰されるでしょう。同じネットの媒体で、圧倒的に費用対効果が高く利用者から感謝される広告が選べるならば、広告主はそちらへシフトするからです。

ネット広告については、これからきっと激震に見舞われます。

これまでのネット広告を漫然と継続することは難しくなりますが、ターゲット顧客に特典付きで広告を打つことや、利用者にとって「ありがたい」広告を打つこと等、新たな広告サービスが生み出されるはずです。

新陳代謝が激しい広告業界ですが、時代が変わるときこそ、飛躍のチャンスかもしれません。

業種によってはより大きな変化の波

クリエイターの仕事はこう変わる

インターネットの入り口である検索エンジン、インターネット発展の原動力となる広告、この両方がドラスティックに変わっていくことを説明しました。

当然ながら、この変化は様々な業界に波及します。

特に、生成ＡＩが普及することで直接的に影響すると言われているのが、**クリエイター**の仕事です。ここでは、イラストレーター、グラフィックデザイナー、ウェブデザイナー、アニメクリエイター、漫画家等、様々な職種を含めてクリエイターという言葉にまとめています。

これらの職業に就いている人にとって、生成ＡＩ、特に画像生成ＡＩは恐ろしいツールです。うまく使いこなすことができれば、今までの何倍もの生産性向上を図れる素晴らしいツールです。一方で、自分の仕事がＡＩに置き換えられてしまうかもしれないという点では恐ろしい相手になります。下手をすると、自分の作品よりも圧倒的に精度が高い作品を、ものの10秒程度で作ってしまうのです。

現時点では自動生成の限界は大きい

現時点では、画像生成ＡＩを使って良い絵を作成するのは、かなり運頼みという要素があります。入力するテキスト（プロンプト）を少し変えるだけで、画風も内容も全く変わります。この調整したい部分だけを修整するといった、微調整をすることが難しいのです。

また、生成した絵は一見すると素晴らしいのですが、細部を見るとゆがみやおかしなところがあります。特に、指の描写が苦手というように言われています。指の本数が異なったり、あり得ない方向に曲がったりということも少なくありません。

このような状況を踏まえると、少なくても現時点では次のように使い分けることが現実的でしょう。

・目立つ部分（表紙に使うイラストなど）を自動生成させることは難しい。人による大幅な修整が必要。
・あまり目立たない部分（背景画像など）には、自動生成したイラストをそのまま使う。

また、単純なイラストの発注については、自動生成で十分というケースも増えるでしょう。文章中の簡単な挿絵や、プレゼン資料に貼り付けるイメージ画像等、そのようなイラストの発注は今後減るかもしれません。画像生成ＡＩで数回試行錯誤すれば、十分な品質のイラストを手に入れられるからです。既にお気づきだと思いますが、本書でもところどころに画像生成ＡＩで作成した挿絵を入れています。

とはいえ、画像生成ＡＩの品質で十分というような使い方であれば、そもそも今でもイラストレーターに発注していないとも考えられます。今でも、写真素材集、イラスト素材集など、無料でもかなりのものがありますし、素材集の有料サービスに入れば膨大なデータの中から、キーワード検索でお目当ての画像を探すことができるようになっています。そのような素材集を利用していた層が、画像生成ＡＩへ乗り換えるということに留まるのかもしれません。

人とAIの役割分担

プロのイラストレーターは、顧客のニーズをよく理解して、その意図に沿ったイラストを作成します。この点においては、画像生成ＡＩといえども、**まだまだプロのイラストレーターを代替するには至らない**でしょう。

そもそも、顧客のニーズを理解するには、顧客のことを知り、これまでの作品のテイストを知り、新しい作品に向けた「思い」について顧客と対話を繰り返す必要があります。その部分は、まだまだＡＩには荷が重い部分です。

もちろん、画像生成ＡＩは画像を作り出すという部分に特化して、素晴らしい性能を持っています。

ですので、画像生成ＡＩを活用した仕事においては、**人間とAIとの共同作業**とし

図4-5　サンドイッチ方式

［画像生成でのサンドイッチ方式］

前工程	人間（絵の方向性、構図、内容等）
中心工程	AI（絵の描画はAIが実施）
後工程	人間（絵の手直し、色や光のバランス調整、他の絵との雰囲気統一等）

て、サンドイッチ方式（図4-5）で進めることが主流になるでしょう。サンドイッチ方式とは筆者の造語ですが、真ん中の具の部分はＡＩが担い、外側のパンの部分を人間が担うというイメージです。

前工程は、どのような絵を描くかという方向性を決めるところから始まります。田舎の風景を描くとしても、春の里山で野草が生い茂る風景を描くのか、秋の川沿いの道路に紅葉が舞い落ちる風景を描くのかで全く異なります。絵の構図や内容についても同様です。

この工程をＡＩに任せることも不可能ではないでしょうが、出来栄えはイマイチなものとなるでしょう。ストーリー全体を踏まえてこの絵で何を訴えかけるのかという、人間情緒に踏み込んだ**本質部分**については、まだまだＡＩは人間に敵わないからです。

中心工程は、絵そのものを描く工程です。この工程では、ＡＩの活躍範囲が広がっています。非常に短時間で高品質な絵を描けるのですから、何度も繰り返して良いとこ取りすることもできます。

後工程は、絵の手直しをして仕上げを行う工程です。この工程は前工程とセットであり、前工程で意図した通りの絵になっているかを確認します。場合によっては、前工程の意図通りでなくても、より良い絵に変更することもあるでしょう。

いずれにしても、前工程と後工程は、**今後も人間の役割が残り続ける**ところです。

また、このサンドイッチ方式にも、様々なバリエーションがあるでしょう。

イラストレーターが線画までは作成した上で、画像を画像に変換する（イメージ・ツー・イメージ）のＡＩ機能を使って、細部まで緻密に描いた絵に変換するとか、３Ｄモデルでキャラクターのポーズまでは指定しておいて、それを画像に変換するといった手法

図4-6　Adobe Firefly

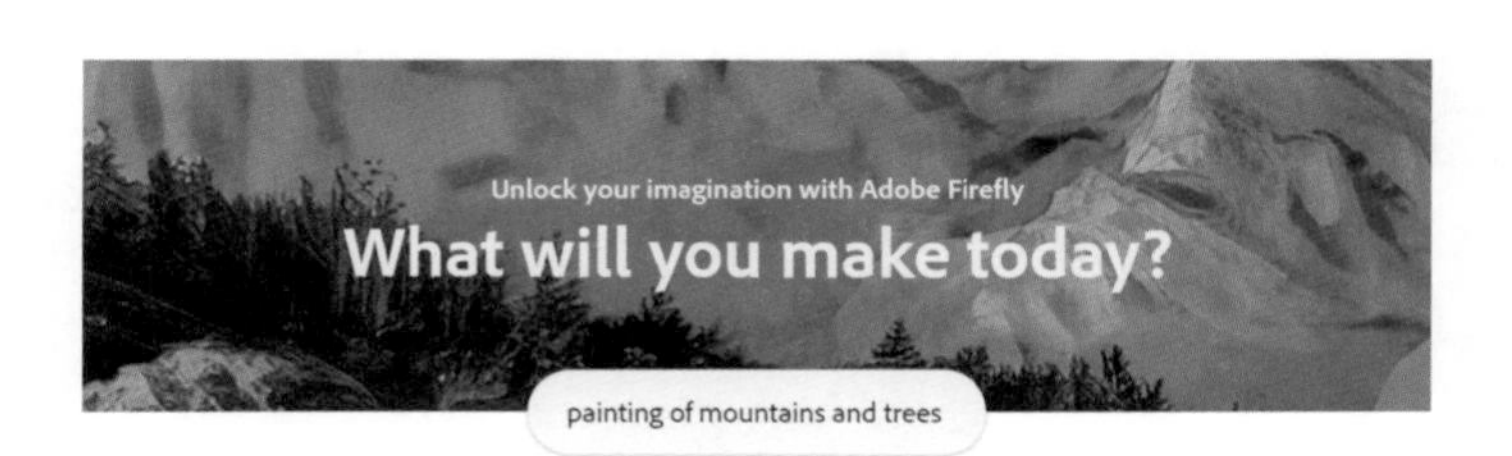

https://firefly.adobe.com/

です。

本書の前半で、画像、動画、3Dモデル等の様々な自動生成について説明しましたが、それらの技術を応用すれば、さらに素晴らしい応用方法が生まれるかもしれません。

また、イラストを作成するためのツールにも、画像生成AIの組み込みが始まるでしょう。現在使われているツールとして最も有名なものはアドビ社のイラストレーターですが、その他にも無料のツールがたくさんありますし、スマホやタブレットで操作できるものも増えています。

そして、アドビ社は2023年3月にAdobe Firefly（図4-6）を発表しました。ベータ版としての発表ですが、作成したい画像をテキストで入力するだけで、指示した通りの画像を生成するということが説明されています。

例えば、「山と木の絵を描いてほしい」と指示すれば、そのまま背景に利用できそうな絵を生成してくれるというデモが公開されています。

今後、他の様々なツールにも、同様に画像生成ＡＩが搭載されることは間違いないでしょう。

そして、人間の作業を大幅に効率化してくれます。例えば、背景に空の絵が欲しいと思えば、「うっすら雲がかかる晴天の空」というようにテキストで指定して、そのような空の画像を生成するというイメージです。

山、川、紅葉、桜、建物、電車、背景に使うものは何でも描いてくれるでしょう。そして、人物、動物、キャラクターなども、ある程度の水準で描いてくれて、それをもとに手直ししていくという流れです。

マンガも大きく変わる

画像を作るクリエイターの中でも、最も影響を受けるのはマンガかもしれません。

マンガを制作する工程の中にも、既に多くのデジタルツールが深く入り込んでいます。CLIP STUDIO PAINT等のソフトウェアには、マンガを制作するためのツールが整っていて、今や、色を塗る、セリフを書き込むといった作業は全てツール上で完結できます。

数十年前までは、背景の模様を表現するためのスクリーントーンというものがあり、これを上手に切り抜いて、マンガのコマに貼り合わせるという作業をしていたことを考えると、隔世の感があります。

最初の絵を描く部分については、従来通りに手書き（完成後にスキャンして電子化）という作家もいますが、最初からタブレットを使ってデジタルに絵を描く作家もいます。

背景画像については、手書きで最初から書き起こすというやり方が少なくなっています。今でも、風景写真をもとに、それを線画のような雰囲気に変換することで背景画像に使うという手法が広く使われています。

このように既にデジタルツールによる効率化が進んでいるマンガ制作の現場ですが、画像生成ＡＩが登場することでさらに飛躍的な効率化が進むでしょう。

画像生成ＡＩは、マンガ用の絵を描くことも得意です。例えば、画像生成ＡＩに自身の作品を学習させることで、自身の作風に合わせた絵を生成することもできるのです。

今後は、マンガ制作ツールにも画像生成ＡＩが組み込まれて、テキストで欲しい画像を指定するだけで、思い通りの絵を作り出せるようになるでしょう。特に、背景画像のような目立たない部分については、ＡＩが生成したものであっても簡単に適用できるでしょう。

また、注目すべきなのは３Ｄモデルを生成するＡＩです。第1章でControl Net（図4-7）というＡＩサービスを紹介しました。棒人間のような３Ｄモデルでポーズを指定すれば、同じポーズをとる様々な画像を生成できるというものです。

この技術は、マンガに応用される可能性が高いでしょう。事前にマンガのキャラクターの見た目を設定しておいて、自由自在にポーズや見る角度を変えれば、思い通りのイ

図4-7　Control Net

https://arxiv.org/pdf/2302.05543.pdf

ラストが手に入るというわけです。

３Ｄモデルを生成するＡＩについても、今後様々なサービスがオープンに使えるようになり、多くの人が簡単に利用できるように進化する可能性が高いと考えられます。

３Ｄモデルを簡単なテキストで生成できるようになると、ゲーム制作、アニメ制作等への影響は非常に大きなものとなるでしょう。

これまでは、３Ｄモデルを制作するということの技術的ハードルは非常に高いものでした。３ＤのＣＧ制作を学ぶために専門学校に通った人や、ゲーム業界で実務経験を積んだような人でないと、なかなか思い通りに３Ｄモデルを作ることは難しかったのです。

しかし、自分が作りたいものを「ローラースケートを履いたカマキリ」のようにテキストで表現するだけで、その3Dモデルを作れるようになると、この世界は一変します。多種多様な3Dモデルを瞬時に作れるので、緻密な世界を描くCGを誰もが比較的簡単に作れるようになります。

3Dモデルを作る人にとって、これは朗報でもありますが、悲報でもあります。自分自身の専門経験のうちのかなりの部分がAIに代替されるという点では、悲報という側面が大きいかもしれません。

このような変化が、今後はゲーム、アニメ、映画についても起こってくるということです。

これまでは、フル3DのCGを作ることは一般の人には難しかったのです。しかし、3Dモデル生成AIが出現すれば、そのハードルが一気に下がります。そして、このような技術変化に敏感な層がいち早く参入し、AIを活用してゲーム、アニメ、映画を制作するようになるでしょう。

画像生成ＡＩは、まだまだ進化する

画像生成ＡＩの技術は、ここ数年で非常に急速に進化しました。本書を執筆している中でも、毎日のように新しい技術やサービスが出て、進化の速度は止まりません。

今後も、利用者のニーズに合わせるように、急速な進化が続くでしょう。

現時点の画像生成ＡＩの課題としては、生成される絵を調整することが難しいという点があります。人物の絵を描く際に、毎回顔つきや服装が異なる絵となってしまって、複数の画像で統一感を出すことが難しいですし、体の姿勢や手足の位置などを細かく指定することも困難です。

この点については、今後大きく進化することが予想できます。

先ほどマンガの部分で説明したように、描く画像のテーマやキャラクターを事前設定した上で、あとはキャラクターのポーズ等について文章で指定するという使い方ができるようになるでしょう。

具体的なイメージを説明しましょう。

最初に主人公や他の登場人物のキャラクターの画像をＡＩが何通りも生成するので、気に入ったものを確定します。また、全体の作画テーマとして、写実的なイラストにするのか、劇画調のイラストにするのか、どこまでデフォルメするのかといった方針も、ＡＩが生成した選択肢から選んでおきます。

そこまで事前準備ができた段階で、個々の絵の描き方を文章で指定するのです。

「緑あふれる公園の中、主人公が犬と散歩している」

「カフェのテラス席で主人公がアイスコーヒーを飲んでいる」

このように指定すると、どの絵にも同じ主人公が登場し、絵の雰囲気も統一的になっているということです。

このようなサービスが出現するというのは筆者の予想に過ぎませんが、これまで紹介した技術を組み合わせれば十分に可能なサービスだと考えています。

事前に主人公や作画テーマを指定してＡＩに記憶させることは全く問題ないでしょう

し、文章生成ＡＩと画像生成ＡＩの技術を組み合わせれば、利用者がテキストで入力した文章を読み取った上で、記憶した画像と組み合わせて画像を出力することもできるはずです。

素人が一気に参入してくる

筆者が予想したようなサービスが実用レベルで提供されれば、アニメやマンガを取り巻く環境がガラリと変わります。

昔の状況を思い出してみてください。

テレビ番組を制作するというのはプロにしかできないものであり、撮影、動画編集、テロップ挿入等は一般の人ができる技術ではありませんでした。また、一般の人が動画を作成したとしても、それを公開するプラットフォームがありませんでした。

しかし、今はYouTube等の動画配信プラットフォームに、一般の利用者が多数の動画を投稿しています。

YouTubeは、誰もが無料で動画を公開し、そこから収益を得られるということから爆発的な人気となりました。そして、動画制作のニーズが高まり、動画編集ソフトがどんどんと進化し、いまやスマホ1台があれば高品質な動画を制作できるという状況になったのです。

動画投稿者の大半は映像作成についての素人です。しかし、撮影技術、動画編集技術が簡単に安価で利用できるようになったからこそ、そういった人々がYouTubeに一気に押し寄せることができたのです。つまり、**技術が進歩すれば、それを利用する人の裾野が一気に広がる**のです。

ただ、現在のYouTubeの動画にも技術的な壁があります。

一般の人がアニメを作ることは、今でもかなり難しいのです。

現在のYouTubeでは撮影した実写映像を動画としているものがほとんどであり、アニメを個人で制作するという例はほとんど見当たりません。

それは、アニメを作成することのハードルがあまりにも高いからです。アニメの原画を作成するためには相当な作画能力と経験が必要です。アニメを作るツールというのも存在しますが、まだまだ一般的ではありません。

動画だけでなく、書籍の分野にも技術的な壁が存在します。それがマンガです。Kindle等の電子書籍のプラットフォームでは個人で出版することが容易になったため、文章を主体とした電子書籍は非常に増えました。

一方で、マンガ等のイラストを主体とした電子書籍を個人出版するケースについては、それなりには存在するのですが、文章主体の本と比べると圧倒的に少ないという状況です。一般の人にとってマンガやイラストを作成することのハードルが、まだまだ高いからです。

ところが、筆者が予想したように画像生成AI等が進化すると、アニメやマンガやイラストを作成することのハードルが一気に下がります。

つまり、当然の帰結として、アニメ動画、マンガ書籍といった分野に、素人であった一般の人も大量に参入してくるのです。

現在のYouTubeを見れば分かるように、プロと素人の違いは紙一重です。素人といえども素晴らしいツールがあれば、あっという間にまるでプロが作ったような作品を作ることができます。

そして、月に100万円稼ぎたいプロと、月に1万円稼げればうれしい素人では、作品の方向性が全く異なります。プロはお金を稼ぐためにある程度のマス層（多くの人）に向けて作品を作る必要がありますが、素人は趣味の範囲で活動しているので非常にニッチな分野であっても作品を作ることができます。

そして、素人の強さが反映されている典型例がYouTubeでしょう。テレビ番組にはなり得ないようなありとあらゆるニッチ分野の作品が並んでいるからこそ、マス層向けのサービスでは満足できなかった利用者を虜（とりこ）にしているのです。

このように画像生成ＡＩが各種ツールに組み込まれ、素人の一般人が大量に参入するような段階になると、プロのイラストレーターに求められる役割が変わります。画像生成ＡＩが高品質な絵を生成できるということを前提に、さらに付加価値をつけた仕事をすることが求められるのです。

そして、これまでのように指示された通りに絵を描くという、比較的単純な仕事については、ニーズが少なくなっていくでしょう。一般的な能力のイラストレーターにとっては、厳しい冬の時代がやってきてしまうかもしれません。

今、イラストレーター等の仕事をされている方については、ぜひ画像生成ＡＩを使いこなす側の人になってほしいと考えています。

どんなに画像生成ＡＩが進化したとしても、それを使いこなすのは人です。クライアントが求めるイラストを的確に理解して、その上で画像生成ＡＩを駆使して効率的に高品質なアウトプットを作成し、すぐにクライアントに納品できる。そのような能力を持ったイラストレーターは、今後も必ず重宝されるはずです。

クリエイターのスキルアップの方向性

先ほどもサンドイッチ方式という考え方を紹介しました。

クリエイターの仕事を３つの工程に分けた場合に、前工程と後工程は人間でないとできない仕事が多いですが、中心工程についてはＡＩが代替できる仕事が多いのです（図４－８）。

図4-8　クリエイターの主要3工程

［クリエイターの仕事でのサンドイッチ方式］

前工程	方向性やストーリーの作成、ラフスケッチの作成
中心工程	コンテンツを一つずつ地道に作成
後工程	出来上がった作品を修整して最終仕上げ

現時点では、中心工程（コンテンツを一つずつ地道に作成する仕事）に最も多くの労力を費やしています。多くのイラストレーター等がチームを組んで、夜遅くまで働いているという現場も多いでしょう。

しかし、この部分こそAIへの代替が進んでいくのです。

今、地道なコンテンツ作成を仕事としている人にとっては、今後大きく2つの選択肢があります。

1つ目は、**前工程や後工程を実施できる人**へとスキルアップする道です。狭き門ではありますが、確実に今後も必要とされる仕事であり、クリエイティブとしての達成感のある仕事です。それに、中心工程で得た経験があってこそ、この工程を担える人になれるのです。クリエイターとしてのプロ中のプロ、自分の名前で仕事ができる人としてスキルアップを図るのです。

2つ目は、**AIを使いこなす人**へとスキルアップする道です。画像生成AIがどんなに進化しても、一方でそれを使いこなす人が必要です。呪文と呼ばれる専門的な世界が出来上がっている通り、画像生成AIといえども思い通りに絵を作ることは難しいことです。

作品の方向性についてクライアントへのヒアリングを重ね、その思いを理解した上で、AIを自由自在に使いこなして効率的にコンテンツを作成することができれば、その人は非常に重宝されるはずです。

様々なオフィス業務でも活躍

生成ＡＩが直接的かつ大規模に影響する業界の典型例として、広告とクリエイターの仕事を解説しました。

もちろん、その他の業界についても色々な影響があります。基本的には、これまでの業務の進め方をさらに便利にする方向で、新たなサービスを使いこなすようになるでしょう。

私たちの全般的な仕事の風景がどう変わるか、その点について予想してみましょう。

資料作成

資料作成には、決まった「型」のようなものがあります。

会議を招集するための案内文、過去に発生したミスについての謝罪文、新製品の魅力を説明する紹介文といった資料には、書き方の流儀や慣用的な言い回しがあるのです。

大学までの教育では、ビジネスで使う文章についてほとんど教育されません。社会で

図4-9　メール文面を自動作成

https://ai-copywriter.jp/tools/35

仕事をするようになって初めて、案内文、謝罪文のような文章を書くことになるのですが、最初は誰でも戸惑います。

丁寧に書いたつもりであっても、「それでは書き言葉でなくて話し言葉になっている」であったり、「文章が冗長で分かりにくいから要点をシンプルに表現して」等のように、色々と指導された人も多いでしょう。いまだに、文章を書くことに苦手意識がある人も多いかもしれません。

そのような人にとって、文章生成ＡＩの進展は朗報です。

このＡＩが特に得意とするのが、「型」が決まっている文章だからです。

図4-10　文章作成でのサンドイッチ方式

前工程	人間（文章の方向性、キーワードを指定）
中心工程	AI（文章作成は、AIが実施）
後工程	人間（文章の手直し、最終資料化等）

例えば、文章生成AIの事例として紹介したCatchyでも、既に様々な目的での文章を自動生成できるようになっています(図4－9)。

メールの開封率を上げるための文章、お礼の文章、断る文章、謝る文章、このようなラインナップが揃っています。

Catchyのようなサービスを使えば、文章の基本構成部分を自動生成させておいて、手直しだけすれば良いということになります(図4－10)。

このようなやり方をすることで、新入社員であっても洗練された文章を使って資料を作成することができます。

また、このような定型文に限らず、もっ

図4-11　スライドの自動作成

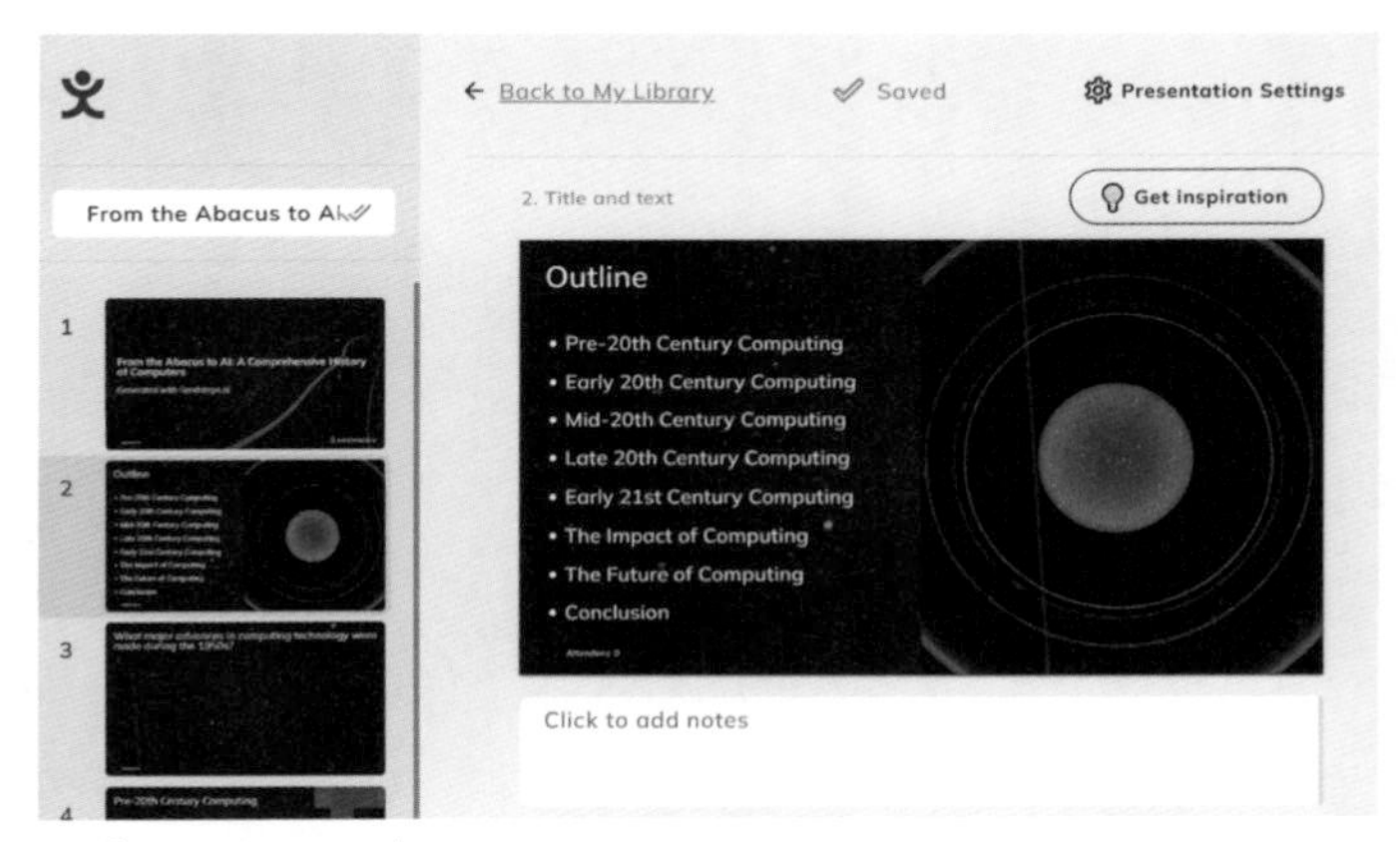

https://web.sendsteps.com/

と自由度の高い領域でも文章生成ＡＩの力を活用できるでしょう。

既に紹介しましたが、**プレゼン資料**を作成するSendstepsの例のように、テーマ（例：コンピューターの歴史）とプレゼン対象者（例：学生）を指定するだけで、15ページのスライドを完成させることができるのです（図4-11）。

このサービスも、サンドイッチ方式で使えばよいでしょう。前工程として方向性を指示し、中心工程である資料の具体案作成はＡＩに任せておいて、最後の仕上げを自分自身で行えばよいのです。

現時点では日本語にフル対応したプレゼン作成サービスは見当たりませんでした

が、これは時間の問題であり、間もなく日本語でも十分に使えるようになるでしょう。

会議の議事録作成についても、かなり応用が利きそうです。

既に、会議での音声をテキストに変換する技術（speech to text）の精度が高くなっているので、発言者の言葉をそのまま文章にすることが可能です。ただ、1時間の会議をテキストに起こすと数万字のボリュームになるため、そのままでは議事録としての用途に向きません。

ここに、さらに文章生成ＡＩの技術を使うのです。既に紹介していますが、文章生成ＡＩは情報量を増やす方向で文章を生成するだけでなく、情報量を減らす方向で文章を要約することもできるのでした。

1時間の会議内容をインプットして文章生成ＡＩが要約すれば、ポイントをまとめた議事録とすることができるでしょう。

これは将来の話ではなく、現在の技術を使ってもかなり実用的に使えるようです。

ただし、社外秘の内容を含む会議の議事録については、文章生成ＡＩを利用することは望ましくありません。文章生成ＡＩに入力したデータは学習データとして使われる可能性があるため、意図しない形で情報が漏洩するというリスクがあるためです。なお、文章生成ＡＩのサービスの中には入力データを学習に使わないとしているもの（ChatGPTのＡＰＩ利用等）もあります。

このようにＡＩが進化するほど、私たちは文章を自分自身で作成する機会が少なくなり、文章が下手になっていくのかもしれませんね。

明治、大正、昭和時代に仕事をしていた日本人には、達筆の人が多いように思います。昔の人が残した文書を見る機会が時々ありますが、上流階級の人だけでなく、一般の人が残した文書でも大人びた風格のある字を書いている人が多いです。日常的に字を書いていたから、必然的に字を書くのが上手になったということでしょう。平成、令和の時代を生きる私たちは、パソコンで文字を書くことが普通になり、鉛筆やボールペンを持って字を書くことが本当に少なくなりました。その結果、昔の人に比べて幼稚な字というか、洗練されていない不安定な字しか書けない人が増えているように思います。

これと同じことが、文章作成という能力についても発生するのかもしれません。今の時代を生きる私たちは、パソコンのキーボードで文字を書いているとはいえ、１から10まで全ての文章を自分自身で考えて作成しています。

今後は、そのかなりの部分を文章作成ＡＩが実施して、私たちはその生成結果を確認して少し手直しするくらいになるのかもしれません。

そうすると、私たちの子どもや孫の世代は、自分自身で文章を作るという能力は低くなってしまうのかもしれません。ちょっと極端な話かもしれませんが、時代が変われば必要となる能力も変わるということで、これは必然の変化とも言えます。

調査

資料作成と並んで、多くの人が時間を費やしているのが調査でしょう。

調査の時間と資料作成の時間はたいていセットになっているので、あまり意識していないかもしれませんが、私たちが日常業務の中で調査をしている時間は意外に多いのです。

端的に言うと、ネットで情報を確認するためにブラウザを立ち上げている時間は、全て調査の時間です。

海外で先行する新サービスがあるか、政府が出している資料で良い統計情報があるか、このような本格的な調査もあるでしょう。しかし、もっと日常的には、「Excelで四捨

図4-12　調査を会話形式で行える

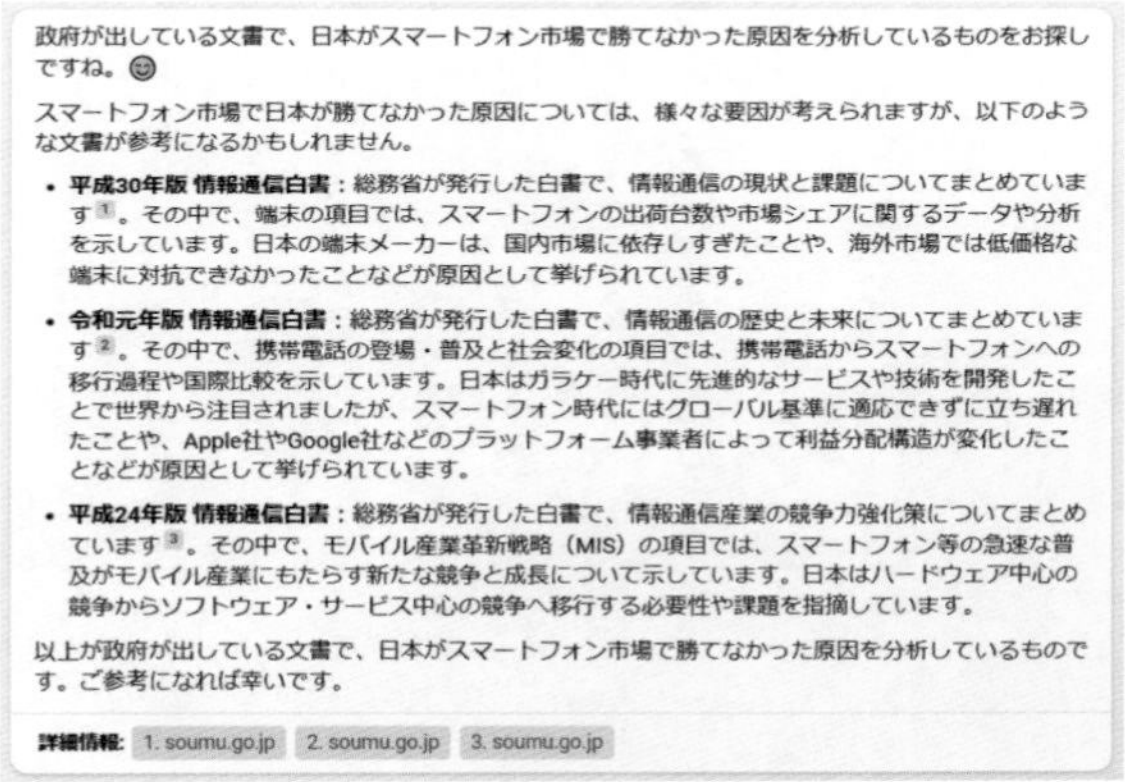

政府が出している文書で、日本がスマートフォン市場で勝てなかった原因を分析しているものをお探しですね。😊

スマートフォン市場で日本が勝てなかった原因については、様々な要因が考えられますが、以下のような文書が参考になるかもしれません。

- **平成30年版 情報通信白書**：総務省が発行した白書で、情報通信の現状と課題についてまとめています[1]。その中で、端末の項目では、スマートフォンの出荷台数や市場シェアに関するデータや分析を示しています。日本の端末メーカーは、国内市場に依存しすぎたことや、海外市場では低価格な端末に対抗できなかったことなどが原因として挙げられています。
- **令和元年版 情報通信白書**：総務省が発行した白書で、情報通信の歴史と未来についてまとめています[2]。その中で、携帯電話の登場・普及と社会変化の項目では、携帯電話からスマートフォンへの移行過程や国際比較を示しています。日本はガラケー時代に先進的なサービスや技術を開発したことで世界から注目されましたが、スマートフォン時代にはグローバル基準に適応できずに立ち遅れたことや、Apple社やGoogle社などのプラットフォーム事業者によって利益分配構造が変化したことなどが原因として挙げられています。
- **平成24年版 情報通信白書**：総務省が発行した白書で、情報通信産業の競争力強化策についてまとめています[3]。その中で、モバイル産業革新戦略（MIS）の項目では、スマートフォン等の急速な普及がモバイル産業にもたらす新たな競争と成長について示しています。日本はハードウェア中心の競争からソフトウェア・サービス中心の競争へ移行する必要性や課題を指摘しています。

以上が政府が出している文書で、日本がスマートフォン市場で勝てなかった原因を分析しているものです。ご参考になれば幸いです。

詳細情報: 1. soumu.go.jp　2. soumu.go.jp　3. soumu.go.jp

五入する関数は何だっただろう」、「なおざり、おざなり、これらの言葉はどう違うんだろう」といったように、仕事の中でふと疑問に思ったこともネットで調べます。こういった時間も、調査の時間です。

このような調査に対して、文章生成ＡＩは強力です。こちらが調査したい内容を的確に捉えて、今まで検索エンジンで試行錯誤しても得られなかったニッチな情報も的確に示してくれるのです。

例えば、マイクロソフトのBing AIチャットで図４-12のように調査を行えます。

単に情報ソースを教えてくれるだけでなく、日本の端末メーカーが勝てなかった原因を端的に説明してくれています。

この情報があるだけで、調査の主目的は達成できています。あとは、根拠として示された情報通信白書の原典にあたって、詳細な情報を再確認すれば調査完了ですね。

検索エンジンであちこち情報を探し回っていたときと比べると、非常に効率的に調査を行えることが実感できるでしょう。

ただし、ＡＩの回答内容を信じすぎてはいけません。

今回例示した回答は業界の状況を端的にまとめているので非常に精度が高いと思ったのですが、よくよく平成30年度版の情報通信白書を確認してみると、**ＡＩが答えた内容は記載されていなかった**のです。

おそらく、他のニュースや解説記事に記載されていた内容なのでしょうが、出典としては誤っています。

このような状況は、比較的すぐに改善されると考えられます。

筆者が試したのは、Bing AIチャットのプレビュー版として、限定されたユーザーに公開されているものであり、このような点も含めて様々なユーザーからのフィードバックを踏まえて、今後さらに改善されるでしょう。

生成ＡＩは、私たちがこれまで慣れ親しんできた調査のやり方を抜本的に変えます。私たちは、日常の仕事の中でさらに効率的に調査を行えることが普通になるでしょう。

セールス

顧客に対して自社の商品を売り込むセールス活動についても、生成ＡＩは効果的に使われるでしょう。

とはいっても、セールス担当者に代わって顧客に直接対応するというのは、まだ近い将来では難しいです。

間接的な形にはなりますが、上手く使うことでセールスの手助けをしてくれます。

そのようなＡＩサービスが、既に登場しています。

Creatext[注4]というサービスでは、営業に関する数百万通のメールを分析し、数百人の優れた営業担当者にインタビューを重ねて、「そのメールを見た人が無視することができな

（注４）https://www.creatext.ai/

図4-13　セールスメールの自動作成

Hi Gerald,

Saw that you founded the LinkedIn group "Outbound BDRs" - really cool that you are building a community for BDRs to learn how to book more meetings!

Enabling BDRs to book more meetings is exactly what Creatext is about as well.

We automate the research for BDRs and help them move faster with personalization.

Curious to learn more?

Best,
Lukas

ジェラルドさんへ

あなたが立ち上げたLinkedInグループ「Outbound BDRs」を拝見しました。営業担当者（BDR）がミーティングのアポを数多く取る方法を学べるようになっていて、このコミュニティは本当にクールですね！

営業担当者が多くのアポを取れるようになることは、まさに私たちCreatextが目指すところです。

私たちは営業担当者のための調査活動を自動化し、顧客毎のパーソナライゼーションをすることで、営業担当者の迅速な動きを支援しているのです。

詳細について、ご興味はありませんか？

ルーカスより

https://www.creatext.ai/blog/the-4-step-framework-for-unignorable-emails

い」というメールを書くことができます。

そのメールも、一般論で誰にでも当てはまることを書いているわけではなく、ネット上でターゲットの人に関する様々な情報を調べた上で、その人に特化したメールを書いてくれるのです。

公式サイトに例文が載っているので、実際の内容を見てみましょう（図4-13）。原文は英語なので、筆者が要点を簡単に翻訳しました。

このダイレクトメールが優れているのは、セールスの相手であるジェラルドさんに対する周辺情報をしっかりリサーチしていることです。

ジェラルドさんのLinkedInプロフィールの内容を読み込んで、自社のセールスに役立つ部分をしっかりとピックアップしているわけです。

ジェラルドさんにとっても、自分が続けてきた活動をこのような形で認めてくれるメールがくると、率直にうれしいでしょうし、もっと詳細について話をしてみたいと感じるに違いありません。

また、その後のメールの流れも自然です。

自社のサービス（Creatext）が、ジェラルドさんの活動と同じ方向を目指していることを伝え、ジェラルドさんの興味をさらに引き付けています。

一方で、サービス内容については、あまり詳細なことまで説明しているわけではありません。このダイレクトメールの目的は、ジェラルドさんから返事をもらうことであり、現時点で自社サービスの詳細を全て紹介する必要はないのです。

うまいバランスで、文章を続けていると言えるでしょう。

そして、メールの文末はこのように締めています。

「詳細について、ご興味はありませんか？」(Curious to learn more?)

このように顧客の行動を喚起することを、**CTA**（Call to Action）と呼びます。

様々な研究の結果、興味の有無を聞くような形のCTAが最も効果的ということで、この文章が選ばれているようです。

この時点でミーティングのアポを依頼する必要はなく、ジェラルドさんから返信があれば改めてミーティングを設定すればいいということですね。

私たちも、普段から山のようなメール広告を見ていて、ほとんどのメールは読み捨ててしまいます。しかし、このようなメールが来れば心が動かされて、まずは一度問い合わせをしてみようという気になるでしょう。

さすがプロの知見だと感じましたが、まさにこのようなメールをCreatextのAIが自動生成してくれるのです。

それも、ジェラルドさん1人に対してだけではなく、数百人、数千人といった多数の顧客に宛てて、ネット上の情報を調べて、それぞれ最適な内容でダイレクトメールの文案を作成してくれるのです。

あなたの周りにも顧客から愛される素晴らしいセールス担当者がいると思いますが、

ひょっとしたらその方は既にこのようなＡＩを使いこなしているのかもしれないですね……!?

近未来ではなく、既にこのようなサービスが提供されています。

現時点では英語でのサービスしか探せませんでしたが、日本語による日本の顧客をターゲットにしたサービスも、間もなく登場するかもしれません。

カスタマーサポート

カスタマーサポート（顧客からの問い合わせ対応）の分野では、以前からＡＩチャットボットによるサービスは存在していましたが、文章生成ＡＩを活用して自然な会話で精度の高い回答を返せるように進化するでしょう。

文章生成ＡＩのデメリットとしては、運営者側が全く予測していなかった、不適切な回答を返してしまう可能性があるという点があります。例えば、顧客を怒らせるような回答をしたり、差別用語等の不適切な表現を使ってしまうということです。

これまでの技術ではこのようなリスクが大きかったため、コールセンターの裏側で内部のオペレーターが参考にするような使い方はあっても、顧客が直接問い合わせをできるタイプの導入事例はありありませんでした。

しかし、この点についても、既に主流なテキストＡＩでは不適切な回答をしないようにチューニングが進められているので、間もなくカスタマーサポートとしても採用例が増えると予想されます。


これまではサポート窓口に問い合わせをした先には人間がいるということが大前提でしたが、これからは電話でもテキストチャットでも実は人間が存在せず、ＡＩが自動応答しているというケースが増えるでしょう。

そして、利用者側にとっても、このことはメリットとなる可能性があります。

人間が応答している場合は人数面の制約から、電話やチャットがつながらないという状況が少なくありませんでしたが、ＡＩが応答している場合は待ち時間がありません。何十人、何百人の問い合わせが集中しても、ＡＩは個々の利用者に対して瞬時に、そして的確に応答できるのです。

ＡＩが人間と変わらない品質で応答できるようになれば、カスタマーサポートの姿は大きく変わる可能性があります。

コミュニケーション

私たちの仕事の中でもテレワークが広く普及し、ウェブ会議を開催することがとても多くなりました。

ウェブ会議のツールの進化は凄まじく、クリアな映像と音声で多数の人が同時に会議できるというのはもはや当然ですが、その会議内容を文字起こし（トランスクリプト）することもできます。少し前までの技術では、英語の文字起こしの精度は高くても、日本語ではほとんど使えないという状態でした。しかし、最近では認識精度が非常に高くなり、部分的には聞き取り誤りもあるものの、会話の流れを確認するには十分な品質となりました。また、文字起こしを読んでいて疑問に感じたところがあれば、その部分をクリックすれば、保存された動画の中から、ピンポイントでそのときの会議の様子を確認することができます。本当に便利な世界になってきたと感じています。

生成ＡＩの技術を使うと、さらに便利な世界が実現しそうです。既に、そのようなサービスが実際に登場しています。

「ｔｌ；ｄｖ（ティーエルディーヴィー）」というサービス（図４-14）では、生成ＡＩの技術を使ってウェブ会議

図4-14　tl;dv

Pricing

User research planning

September 12, 2020

New pricing strategy research

...last night because we just launched pricing. And this is a risky one... 01:45

I already pushed pricing to the 9th of May because first we need to get... 01:45

I just would like to understand the rationale for the pricing page iteration... 01:45

...but besides that, FAQs are super important on the Pricing pages so that... 01:45

...which shows that companies who do value based pricing instead of... 01:45

See all 8 transcript matches

Website & Pricing Sync

September 12, 2020

https://tldv.io/

をさらに効率化することができます。

例えば、会議内容を要約した議事録を発言者が分かるように整理して自動生成してくれます。

これだけでも非常に重宝する機能なのですが、この議事録に対してキーワード検索等も行えるので、重要な話題について後から振り返ることが容易になっています。

そして、このツールは社内コミュニケーションにももちろん有用なのですが、営業担当者と顧客との会話を後から振り返ることにも有用です。

その会議に出席していなかった上司、同僚も、後から顧客の重要な反応について調べ直すことができますし、顧客の隠れた要望や苦情といった内容を再発見することができるようになります。

そして、これらの情報を全て、**CRMシステム**に統合することもできます。CRMとはCustomer Relationship Managementの略ですが、顧客に関する情報を一元管理して顧客対応等に役立てるシステムのことです。

非常に便利なサービスですが、よく考えるとセールス担当者にとってはプレッシャーが高まる仕組みかもしれません。

自分が顧客と会話している日常風景が録画されるというだけでも少しプレッシャーですが、それが簡潔な議事録にまとめられて、キーワード検索できるようになって、社内関係者が気になったところをピンポイントで調べられるということです。

社内の愚痴などを、お客さんにポロリとこぼすということも止めたほうがいいですね。ちょっと、世知辛い世の中になりそうです。

本章では、生成ＡＩがビジネスにどう影響を与えるかという観点から、筆者の考察も含めて将来の変化を解説しました。

次章の最終章である第5章では、このような社会の変化に伴い、我々の生活がどう変わるか、そしてどう生きるべきかについて考察します。

5

生成AIがもたらす未来

前章では、生成ＡＩが特に変革を起こす分野として、検索エンジン、広告、クリエイター、オフィス業務等について生成ＡＩの可能性を予測しました。

このような分野が変化の先導部隊となり、生成ＡＩの存在は「驚き」から「日常」へと変わります。携帯電話で通話できることが驚きだった時代をもはや思い出すことができませんが、生成ＡＩが素晴らしい仕事をすることも当たり前のこととなり、それを前提とした社会生活に変わっていくのです。

そのような時代となるのは、今から10年後かもしれませんし、5年後かもしれません。いえいえ、もしかしたら2、3年後にはそのような時代が到来するのかもしれません。

生成ＡＩが日常の風景となったときに、私たちの生活はどのような姿になっているのか。

教育環境の変化、個人の働き方の変化という部分を中心に考察します。

未来の我々の生活はどうなるのか

激動の教育現場、学び方はこう変わる

教育・学習を取り巻く環境については、激変の時代が続いています。

数十年前、まだインターネットが存在しなかった時代を思い起こすと、教育の現場はとてもシンプルでした。

紙の教科書と参考プリントを配布する、先生が教科書に基づいて黒板を使いながら丁寧に説明する、紙のプリントが宿題として出される、漢字の小テストを毎日繰り返す。こんな感じで小学校、中学校、高校と、教育のプログラムが作られていました。

この時代には、個々の生徒の能力に合わせた教育というのは基本的に難しいことでし

た。1クラスに40人以上の生徒が在籍するのが普通だった時代で、落ちこぼれてしまう生徒がでないように、先生はゆっくり丁寧に教科書の内容を教えていったのです。ある程度学習が進んでいる生徒にとっては物足りない内容であり、あくびをかみこらえながらも先生の話を聞いているしかありませんでした。

また、逆に一度ドロップアウトしてしまうと、ずっと授業についていけないということになりました。中学に入って数学が始まり、xを使う方程式が出てきたあたりで意味が分からなくなり、その後の数学の時間は理解できない、お経を聞かされているような気分で過ごしていたという人もいるでしょう。

1人しかいない先生が多様な40名の生徒を教えるという前提では、このような事態が発生してしまうことは構造的にやむを得ないことでした。

現在では、個々の生徒が自分に合った教材を選び、自分自身で学んでいけるように、学習環境が大幅に整備されました。

インターネットで様々な情報が検索できるようになり、YouTube等でも教育系のコンテンツが充実するようになり、学習塾等も生徒の進度に合わせたデジタル教材（タブレットで学習等）を提供するようになり、英単語を覚えるアプリなど、スマホのアプリも格段に進化したのです。

既に随分便利な教育環境となっているのですが、さらに枠組みを大きく変えるような大きな進化が生み出されるでしょう。

コアとなる技術は、個々の生徒に合わせた**パーソナライゼーション**です。

AI家庭教師の進展

検索エンジンに代わって、今後はアシスタントAIという形で、個人の生活情報を把握して最適な提案をしてくれるAIが出現するという予想を、既に説明しました。

教育という観点でも、このアシスタントAIは非常に有効です。いえ、非常にという言葉が野暮ったく感じるくらい、革新的な違いが生まれます。

イメージしやすいように、ここでは「**AI家庭教師**」と呼ぶことにしましょう。

AI家庭教師は、生徒の学習進度と、得意分野と苦手分野を全て知っています。その上で、生徒に最適な形で、次に学ぶべきことを教えてくれるのです。また、つまずいたポイントがあれば、そのポイントに戻ってしっかりサポートしてくれます。ここではイメージしやすい小学生の勉強を例にとって説明しますが、このＡＩ家庭教師は、社会人が勉強する際にも活用できるものになるでしょう。

ＡＩ家庭教師の利用イメージ

小学生の生徒が、三角柱の体積を求めるという問題にチャレンジします。体積は（底面積）×（高さ）で求めるので、最初に底面にある三角形の面積を求めなければなりません。

ここで、生徒が三角形の面積の計算を間違えてしまったとします。この場合に、家庭教師ＡＩは以前の学習教材を再表示して、三角形の面積の求め方を解説してくれます。

生徒は自分が理解できないことを、ＡＩ家庭教師に話し言葉で自由に質問できます。「三角形の面積を求めるのに、なんで最後に2で割るの？」と質問すれば、ＡＩ家庭教師は四角形と三角形を並べて、三角形の面積が四角形の半分になることをビジュアル的に教えてくれるでしょう。

そして、家庭教師ＡＩはこのような学習過程をずっと記憶しています。

例えば、理科の問題をしていて星座の「冬の大三角形」を学んでいるときに、ついでに家庭教師ＡＩが質問をしてくるのです。

「そういえば、この前、三角形の面積について勉強したけど、まだ覚えているかな？　この三角形の面積は計算できる？」

ここで生徒が即答できるようであれば、生徒が三角形の面積を理解できたと判断できます。ここでも間違うようであれば、さらに別の機会で三角形の面積を尋ねることになるでしょう。


この例は、ほんの一例です。

私たちの学習過程では、膨大な種類の物事を、何度も何度も繰り返しながら記憶しています。

忘却曲線という考え方がありますが、新しい物事を最初に覚えた段階では、まだ記憶が定着していません。１日、１週間、１か月が経ったときには、かなりの部分を忘れてしまうのです。

しかし、色々なきっかけで、３日後や10日後に思い出すきっかけがあれば、最終的に自分自身の記憶に刻み込まれます。

漢字や英単語などはまさに記憶力そのものが必要とされますし、算数の解き方も、理科の実験結果も、そのプロセスやポイントを記憶するという意味では全く同じなのです。

適切なタイミングで自分に必要な情報を掘り返して思い出させてくれる、そんな存在がいれば、学習をものすごく効率化することができるのです。

これまで、生徒個人の学習進度を、細かなレベルで把握するということは不可能でした。個人指導を行う家庭教師であっても、生徒の理解度を知ることができるのはごく一部です。ある英語の文章教材があったときに、その中で生徒の記憶があやふやになっている英単語を言い当てられる家庭教師はいないでしょう。

しかし、ＡＩ家庭教師には、それが可能なのです。例えば１００種類の英単語が組み合わされた文章があったとした際に、記憶が定着していないと考えられる5つの英単語をしっかり特定することができます。そして例文を示したり、語呂合わせのような覚え方を示したり、手を変え品を変えながらその単語の学習をして、親切に記憶の穴を埋めることができるのです。

例えばcorrespondence（文通する）という英単語について、「これスッポンです、と文通する」とダジャレがあると、覚えやすいですよね。

ダジャレで覚えるのが好きな人、例文で理解するのが好きな人、口で10回唱えてみるのが好きな人、クイズ形式の学習を繰り返すのが好きな人、生徒によって覚え方もそれぞれでしょう。もちろん、生徒の好みと能力に応じて、教材の提示の仕方も変えていくのです。

このようなＡＩ家庭教師のサービスを目指して、今後は各社が様々な学習コンテンツにＡＩ技術を組み合わせていくことになるでしょう。

学習を効率化するということ自体も、まさにサイエンスです。学習技術という分野での勝ち組企業がどこになるのか、現時点ではまだ全く予想もつかないところですが、今後が楽しみです。

教育の方向性が変わる

このように学習技術が進化し続ける一方で、何を学ぶのか、どんな能力を伸ばすのかという教育の方向性自体は、緩やかにしか変化していませんでした。

一方で、社会は大きく変化し、ビジネスに求められる能力も、社会の中で生活していく力も、人と共同で活動するための能力も、求められるものが大きく変わっているのです。

何かを「記憶している」ということや、ある作業を「正確に実行する」ということは、昔に比べてそれほど重要ではありません。

それよりも、様々な道具を駆使して付加価値の高いものを「**作り上げる**」ことや、複雑な物事の中から「**判断する**」ということが重要になっているのです。

例えば、数十年前の職場であれば、帳簿の管理を確実に行える人が重宝されました。電卓を片手に検算を繰り返して、1円たりとも間違っていない正確な計算書類を作るのです。

この作業をするには、計算を正確に実行できるという能力も必要でしたが、同時に経理に関する様々な知識を持っているということも重要でした。「減価償却費を計算する際に、どの物品であれば何年で償却するのか」、この業務にあたる人はそういった知識を自分の頭の中に緻密に貯めこんでいます。だからこそ、小さな誤りがあっても即座に発見できたのです。つまり、この時代には、正確な記憶と、正確な実行力が重要だったのです。

藩校や寺子屋が始まった江戸時代以降から一貫して、学校教育では「読み・書き・そろばん」に代表されるように、仕事で役立つ能力として様々な知識を記憶し、正確な計算が行えるように訓練することが重視され続けてきたのです。

しかし、現時点では、そのような定型的な能力の重要性が低下しています。単純反復できる作業については、情報システムが完璧に担ってくれます。仕訳も、減価償却費の計算も、決算書類の作成も、全てプログラムが自動的に正確に実行してくれます。

企業で働く人には、その自動計算結果を見た上で、現状を正しく判断し、今後とるべき対策を考えて指示するということが求められているのです。

このような時代に合わせて、**学校教育の方向性自体も大きく変化すべき時期**に来たと言えるでしょう。

学校の宿題で、文章生成ＡＩを使うことが問題になっているという事例を紹介しましたが、この事例はまさに学校教育の変化の過渡期における典型的な議論ポイントなのです。

これまでの教育方針で考えると、このことはカンニング行為になるのでしょう。自分の能力が足りない部分を、ＡＩを使ってごまかしているということになるのです。

しかし、これからの教育方針で考えるなら、このことは素晴らしい行動です。むしろ、文章生成ＡＩでも何でも構わないので、利用できる道具を最大限に活用した上で素晴らしい成果を作り出すこと、そしてその成果を効率的に生み出せることこそ、これからの時代に求められるスキルだからです。

教育の現場がすぐに変わることは難しく、段階的にゆっくりとした変化になるかもしれません。

しかし、自分で考え、自分で判断し、自分で作り出せる、そういった付加価値の高い部分を重視する教育へと変わっていくことは間違いないでしょう。

そして、我々社会人もその変化についていく必要があることも忘れてはなりません。

明日にも訪れるかもしれない我々の生活の変化

生成ＡＩのサービスが浸透していくと、これまで人にしかできないと考えられていた仕事についても、その一部をＡＩが代替できるようになってきます。

では、私たちの仕事や働き方はどうなるのでしょうか。

この点についても、大胆に予測してみましょう。

便利になると仕事が増える？

まず、歴史を振り返るところからスタートしましょう。

パソコンが職場に配備され始めた時代、ビジネス文書を手書きではなくパソコンで入力したり（当時はワープロという文字入力専用のコンピューターも主流でした）、表計算ソフトで複雑な計算も一括処理したりすることで、オフィス業務が劇的に効率化すると**期待されていました。**

また、インターネットが普及し始めると、電子メールでコミュニケーションを取り、ホームページで世界中の情報を収集できることで、さらに仕事の進め方が洗練されて、私たちの働き方がラクになるということが**期待されていました**。

しかし、実際には私たちの働き方はどう変わったでしょうか？

昔に比べて、**さらに働き方が苛酷になってしまった**という人も少なくありません。

なぜなら、私たちは市場原理に基づく競争社会を生きているからです。自社だけでなく、競合他社も、新規参入を考えている企業も、みなパソコンやインターネットを使って業務を効率化したのです。しかし、マーケットの規模が大きく変わったわけではありません。同じ規模のマーケットの中で、他社よりも品質面・価格面で優れた商品を生み出せた企業だけが、自社の売上を伸ばせるのです。

分かりやすく例えると、これまでは80点の水準で競っていたのに、95点の水準まで行かないと勝負にならなくなったのです。

結果的に、様々な仕事に**過剰な付加価値**が求められるようになりました。

顧客に自社商品を説明するときに、以前であれば商品パンフレットだけを持って、あとは口頭で色々と説明すれば十分だったのです。

しかし、今は顧客ごとに時間をかけて提案書を作成します。海外事例も含めて顧客のビジネスに関係する環境変化、業界の課題等を把握し、顧客が抱えている課題やリスクを分かりやすく提示し、それに対して自社の商品が有効に機能することを数十枚のスライド資料を使って提案書にまとめるのです。

そして、顧客との打ち合わせが終われば、要点を議事録にまとめて社内に報告します。その内容を見て、上司からは様々な指示が出ます。顧客から出された課題についても対応方法を考えます。こうして、新たな提案書を作成して顧客の元へ向かうのです。

パソコンやインターネットが普及したことで、どこの会社でもこのような緻密な提案活動が行えるようになりました。裏を返すと、競合他社が手厚いサービスをしている中で、自社だけが旧態依然としてパンフレット片手に営業トークをするだけでは太刀打ちできなくなってしまったのです。

そうして仕事が増えたことで私たちは、職場で長時間残業をするか、家に会社のパソコンを持ち帰って仕事をするということが普通になってしまいました。

私たちの仕事を便利にする道具は、結果的に私たちの仕事を増やしてしまうことになったのです。

パソコンの導入によって我々の仕事はラクになると考えられていたことを思うと、とても皮肉なことです。

これからさらに仕事が増える？

では、生成ＡＩが浸透して様々な仕事が一気に効率化できるようになると、私たちはさらに忙しくなってしまうのでしょうか。

これを考えるには、生成ＡＩだけでなく、**社会の総合的な価値観の変化を**捉える必要があります。

先ほど挙げた例では、パソコン等が入って便利になった分、企業間の競争が激化しました。しかし、このような変化を生み出した背景として、もう1つ大事な要素があったのです。その要素が変化しなかったからこそ、私たちの仕事は増えてしまったのです。

その要素とは、私たちの「**労働時間の許容値**」です。

私たちは比較的最近まで、社会人になれば仕事一筋になるのが当然であり、プライベートの生活を犠牲にしてでも、会社のために時間を使うことが一人前という価値観の中で暮らしていました。

純粋な残業時間だけでなく、顧客への接待、上司との飲み会、休日のゴルフ等も含めて、会社の仕事と会社での人間関係のためにほとんどの時間を費やしていました。

だからこそ、パソコンのような便利な道具が増えても、その道具を使って無制限に仕事の質を高めるという方向になり、深夜残業をしながら提案書を書いているという風景が日常になってしまったのです。


しかし、ようやく**その価値観が変わってきています**。

少子高齢化に伴って生産年齢人口（労働人口）が減る中で、長時間労働による過労死の問題や、育児や介護等の両立など働く人のニーズも多様化しており、会社中心の労働文化を見直すべきという声が高まりました。

ワークライフバランス、働き方改革、様々な言葉を使って、これまでの働き方を改めようとする動きが進んでいます。国も、内閣府や厚生労働省等が旗振り役となり、この動

きを継続的に支援しています。[注1][注2]

また、パワハラに対しても非常にセンシティブになりました。

以前であれば、部下の仕事に不十分なところがあると上司が怒りを爆発させ、命令口調で明日までに全部見直せ、というようなことが日常茶飯事でした。しかし、今ではこのような行為は完全にパワハラとして認定されます。上司であっても、部下に対して丁寧に接し、必要以上の仕事量とならないように十分に配慮することが必要なのです。

このようなことが全て積み重なった結果、私たちは労働時間の許容値に対して敏感になり、残業が続くブラック企業からは人が転職して抜けていきますし、企業側も社員の実質的な労働時間をケアするようになったのです。

このように労働時間に関する価値観が転換している状況なので、やっと、便利な道具によって私たちの仕事が**ただ増える**ことになるのではなく、**ラクになる**という方向に向かっていくでしょう。

そして、このちょうど良いタイミングでスーパーヒーローのように現れたのが、**生成AI**なのです。先に説明したようにクリエイター等の一部の職種については仕事を代替することもあるでしょうが、基本的には今の仕事に就いている人をより便利にする方向でサービスが浸透するでしょう。

これからの仕事の風景

前置きがかなり長くなってしまいましたが、生成ＡＩが普及したときの働き方を具体的に想像してみましょう。

何度か登場したサンドイッチ方式の考え方が、その大きなヒントになります。一般的な仕事の工程をサンドイッチ方式で表現したのが図５－１です。

ここで顧客に提案活動を行うという例で考えてみましょう。

（注１）内閣府「仕事と生活の調和」推進サイト　ワーク・ライフ・バランスの実現に向けて
https://wwwa.cao.go.jp/wlb/index.html

（注２）厚生労働省「働き方改革」の実現に向けて
https://www.mhlw.go.jp/stf/seisakunitsuite/bunya/0000148322.html

図5-1　一般的な仕事の主要3工程

前工程	活動方針の検討、アウトプットの方向性決定
中心工程	アウトプットを一つずつ地道に作成
後工程	出来上がったアウトプットを確認して最終仕上げ

自動車メーカーの顧客に対して、自社の持つ空気清浄技術を提案するという仕事を題材にします。

筆者が想像する、将来の業務風景のイメージです。

※セキュリティに配慮した自社専用の生成AIがあり、社内の膨大な情報を学習していることを前提として考えています。

[将来の業務風景]

まずは、提案コンセプトを決めるところからスタートです。

コンセプトを決める際にも、AIは大きな助けになるでしょう。自動車業界に対して空気清浄機を提案するという状況を説明すれば、様々なキーワードや提案コンセプトの案を示してくれます。

「自動車業界の顧客に、当社の空気清浄機を提案するよ。提案のコンセプトとして考えられる方向性を教えて。」

[提案コンセプトについてのAIの回答]

- 提案の方向性として、車載用の空気清浄機なのか、自動車工場内部の空気清浄機なのか、いずれかを決める必要がある。
- 車載用であれば、現時点でも様々な既製品がある。主としてPM2.5、花粉、タバコの煙、排気ガスの除去を売りにしている。
- 車載用空気清浄機の給電方法は、シガーソケット、USB、ソーラーパネル等が考えられるが、多くの電力を使えないということが制約となっている。

こういった材料を見ながら、提案の方向性を決めていけばいいのです。

実際は、対話型でどんどんと方向性を絞り込む形になるでしょう。

イオン発生方式、HEPAフィルター方式等の空気清浄方式がある中で、車載用ではどのような方式が主流となっていて、シェアがどのようになっているのか、そういったことを確認しながら提案コンセプトをブラッシュアップしていくのです。

「車載用で提案しよう。現時点の車載用の空気清浄機について主流方式とシェア上位企業を教えて」

また、自社の技術の強みをインプットすることも必要です。

紫外線照射によってウイルスを不活化させる技術が優れている等、具体的なポイントをAIに伝えます。

「当社の紫外線照射技術を使ってウイルスを不活化できることを提案のコアにしよう。具体的な提案書を作成して」

このようにして提案コンセプトが決まると、AIが様々な提案書の案を提示してくれるのです。

[AIが生成する提案書の例（骨子）]

・電気自動車が主流となる時代では、車載用空気清浄機に対しても比較的大きな電力を供給することが可能となる。
・自動車内は密空間であるため、空気感染が発生しやすいという懸念がある。この懸念を払しょくするために、食品工場等で使われている本格的な空気清浄機を自動車に搭載することで、マーケティング上の大きな差別化要因となりうる。
・弊社の紫外線照射方式はウイルスの不活化に高い効果があり、新たな車載用空気清浄機として最適である。

もちろん、このようなストーリーに基づいて、実際の提案書も全てAIが生成します。海外動向調査、空気清浄機へのニーズの統計資料、自動車における空気感染の過去事例、このようなファクト情報もしっかり調べて、提案書に盛り込んでくれています。写真や図解等も、しっかり挿入しています。
そして、提案書案に対して、「このページは、病気別の空気感染の確率をさらに足したほうが良い」など指示をすれば、即座に情報を調べて反映してくれるのです。

このようにして、AIと対話しながら自分自身でも提案内容を見極め、最終的に提案書の素案までが完成するのです。
最後に、自分自身の思いを提案書に足して最終仕上げをすれば、提案書の完成です。

改めて、この提案書作成という仕事で、人とAIがどのように役割分担したかをまとめると、このようになります。

[一般的な仕事の主要３工程]

前工程	活動方針の検討、アウトプットの方向性決定
〈人が中心〉 最初の方向性を指示（自動車業界への提案） AIが出したコンセプト候補を見ながら、質問を繰り返す 提案のコア内容を決定	
中心工程	アウトプットを一つずつ地道に作成
〈AIが中心〉 上述のやりとりをもとに、提案書案を複数生成	
後工程	出来上がったアウトプットを確認して最終仕上げ
〈人が中心〉 AIが生成した提案書案から最良のものを選択 部分的な改善点について、AIに指示して再生成 最後に、自分の思いを提案書に追記	

これが、近い将来に実現する私たちの仕事の風景です。

そんな夢のような世界が来るとは信じられないと、多くの人は感じるでしょう。しかし、ここ1年の生成AIの進化、そしてその裏側にある技術的背景と、これらの技術に莫大な金額を投資する巨大企業の思惑を考えると、おそらく数年後にはこのような世界が普通になっているはずなのです。

未来の働き方

このように生成AIが進化した後、私たちの仕事はどうなるのでしょうか。そして、どのような能力が求められるようになるのでしょうか。

まず、**人同士のコミュニケーション**の重要性が上がるでしょう。

人が独力でやっていた作業を支援することは、生成AIを含めて、各種AIの得意領域です。AIを活用することで、これまで職場で過ごしていた時間の中で調査や資料作成に充てていた時間を、かなり削減することができます。

一方で、他の人とコミュニケーションを取って合意形成するということは、ＡＩがいまだに苦手としている領域です。もちろん文章生成ＡＩは人との対話をこなすことはできるのですが、間違いも多いですし、説得力がありません。人同士でお互いの表情を見ながら、時折冗談も交えながらも物事を進めていくという仕事が、これからも不可欠です。

そして、これこそが職場における中心的な仕事になってくるでしょう。

長引いている会議の論点を整理して段取りをつけるファシリテーションスキル、世の中の流行を安易に採用しようとする上司に対して、分かりやすく問題提起できる説明スキル、仕事が上手くいかずに悩んでいる後輩に自ら声をかけて相談相手となる共感スキル、このようなヒューマンスキルに長けた人が、これまで以上に企業で重宝されるようになるのです。

私たちは、このような世界が到来することを見据えて、ヒューマンスキルを中心にリスキリング[注3]を図ることが必要になるでしょう。

（注３）時代の変化に対応し、新たなスキルを習得すること。

次に、**情報の有用性を峻別する能力**が重要になるでしょう。

今でもネット上にありとあらゆる情報が発信されていますが、生成ＡＩの出現によって、さらに桁違いの量の情報が発信されることになります。既にブログや電子書籍等でも、生成ＡＩを活用して作成されたものが現れています。

もちろん、生成ＡＩ側もその大量の情報の中から有益な情報を抽出することができますが、最終的に生成ＡＩの提示した情報を判断するのは人の役割です。

今後、仕事の中でも生成ＡＩと協働し、生成ＡＩのアウトプットを確認するというシーンが増えるでしょう。情報の出典を確認してファクトチェックを行い、複数の選択肢の中から最良のものを絞り込むといった仕事が実務的に増えてくるはずです。

私たちは、これまで以上に情報に対するリテラシー[注4]が必要となります。フェイクニュースや詐欺メールを見破るということはもちろん、生成ＡＩを悪用して作られた信ぴょう性の低い情報についても、作者や掲載場所を含めて総合的に判断することが必要とされるでしょう。

最後に、**ワークライフバランス**が是正され、労働時間が少なくなるでしょう。

これはＡＩだけに起因する変化ではありませんが、前述の通りワークライフバランスの改善に向けて様々な取り組みが進められている中で、ＡＩはその動きを加速させてくれます。

なぜなら、ＡＩは個人単位に割り振られている仕事を効率化して早く終わらせることができますが、一方で組織として決まっているスケジュールは大きく変化しないからです。

組織は基本的に年単位、月単位、週単位のサイクルで動いています。

例えば、毎年1度の株主総会に向けて、ＩＲ資料案を月単位の報告会に提示して経営幹部の意見を反映し、担当者は週単位の定例会で集まりながら資料のブラッシュアップを行うといった具合です。

ですので、これまで社内の情報収集、整理、資料作成等に追われていた人は、それらの仕事をＡＩで効率化することで、期間的にも作業量的にも余裕が生まれることになります。

確かに、その余裕が社員に還元される保証はありません。早く仕事が終わったから早く家に帰れるわけではなく、他の仕事が振られてしまうということもあるかもしれません。局所的にはそのような可哀そうなケースも生まれるでしょうが、全体俯瞰的に見れば

（注4）世の中の様々な情報を適切に活用できる基礎能力。

組織としてのスケジュールや仕事量が変わらない中で作業効率を上げることになるので、多くの人の労働時間を減らすことができるはずです。

作業効率が上がった分、社員の数を減らすという選択肢もありますが、これも実際の業務現場のことを考えると簡単に採用できる方法ではありません。社員ごとに得意とする領域があるので他の社員がすぐに代替することは難しいですし、1人の社員を減らせば他の社員に大きなしわ寄せが行きます。ある社員が急な都合で出社できない場合の業務継続や、人事異動時の引き継ぎ等を考えると、社員を減らすことのデメリットも大きいのです。

筆者の期待も込めてですが、**ワークライフバランスが大きく是正され、仕事だけでなく家庭での時間や趣味の時間を充実できるようになる**と考えています。

そして、そのことは翻って仕事にも役立つはずです。旅行先で体験した独自サービス、自然と触れ合うことで発見したパターン、育児を通して培われたヒューマンスキル、そのような豊かな体験があってこそ、付加価値の高い仕事をすることができるのです。

生成AIはあくまで道具です。物知りの先生のようにも見えますし、有能な部下のようにも見えますが、あくまで人を補助する道具に過ぎません。

この道具をうまく使えば、些末な仕事に忙殺されるといった人生の時間の無駄遣いを避けて、ライフワークバランスの取れた充実した人生の過ごし方を得ることができるのです。

まだ、生成ＡＩの進化は始まったばかりです。私たちは生成ＡＩと上手く付き合いながら、自分自身のために役立てていきたいですね。

生成AIのニュースから目が離せない日々

本書のメインパートを執筆したのは2023年2月でしたが、生成AIを巡る動きは非常に激しく、その後に何度も加筆修正することになりました。

本書を修正できる最後のタイミングである2023年5月頭の時点でも、生成AIのニュースが駆け巡る毎日です。

イタリアでは、個人情報保護が不十分という理由で、ChatGPTをイタリア国内から利用できないようにする措置を2023年3月から取っていましたが、5月頭にはユーザーの権利やデータの透明性が確保されたとしてその制限を解除しました。

とはいえ、ヨーロッパでは生成AIに対する規制について厳しい方向での議論が続いてます。

EU（欧州連合）は、生成AIの規制法を作ることを表明したり、AIが作成した文章などに「メード・ウィズAI」とつける案を提示したりと、様々な規制を導入する方針です。[注5]

一方で、日本や米国では生成AIに直接的な規制は設けず、各事業者が柔軟にサービスを運用できる方向を目指しています。

とはいえ、生成ＡＩを実際に使う企業にとっては、法律面、制度面でのリスクが非常に気になるところです。このような状況を踏まえ日本では、一般社団法人日本ディープラーニング協会が５月頭に「生成ＡＩの利用ガイドライン」を公開しました。[注6]

これは、生成ＡＩの活用を考える組織が、スムーズに導入を行えるようにすることを目的として、ガイドラインの「ひな形」を示したものです。ガイドラインの本体は全５ページの内容で簡潔にまとめられていて、生成ＡＩを利用することによる法令違反をできる限り回避するというミニマムな目的で作られています。

ガイドラインの中では、例えば画像生成ＡＩで生成した画像について、一定の条件[注7]を満たしていれば創作的寄与があるとして著作権が発生

（注５）https://www.nikkei.com/article/DGXZQOGR234M20T20C23A4000000/
（注６）https://www.jdla.org/document/
（注７）①詳細かつ長いプロンプトを入力して画像を生成した場合
②プロンプト自体の長さや構成要素を複数回試行錯誤する場合
③同じプロンプトを何度も入力して複数の画像を生成し、その中から好みの画像をピックアップする場合
④自動生成された画像に人間がさらに加筆・修正をした場合

することになると記載されています。

一方で文章生成AIについては、出力されたテキストにはユーザーの創作意図と創作的寄与が通常はないため、出力テキストには著作権は発生しないということになるとしています。

このように、多くの人が判断しかねているケースについてかなり明確な見解が書かれていますし、その根拠も記されているので実務的に参考になる部分が多いでしょう。

生成AIについては、技術の急速な発展に対して、ルール形成が追い付いていない状況です。今後、急速にルール形成が進められるでしょうが、一方で生成AIの技術自体がまだまだ進化する可能性も高く、高速イタチゴッコという状況が続きそうです。

今後も、この分野から目が離せそうにないですね。筆者も引き続き生成AIの状況を注視し、読者の方々へ分かりやすく伝えていきたいと考えています。

「おわりに」

新しい技術に触れると、ワクワクします。

一体どういう仕組みになっているのだろうか、こういう使い方をしたらどうなるだろうか、好奇心が赴くままにあちこち触ってみて、「こんなことまで、できるのかー！」と驚きの声を上げ、そして感動のため息をつきます。


生成ＡＩは、久しぶりに体験した「**感動の嵐**」でした。

文章生成ＡＩがここまで自然な回答を返してくることに驚きましたし、思いつくがままに突飛な質問を入れてみて、その度に回答の精度に驚かされました。

画像生成ＡＩも驚異的な技術です。たった数行のテキストで、無限に美しい絵を生成してくれる。そして、こちらの意図をしっかり汲んでくれていて、こちらの期待以上の仕上がりを見せてくれます。

そして、本書を執筆する過程で、動画生成、３Ｄモデル生成、音楽生成も含めて、最先端のＡＩが奏でる大オーケストラを堪能しました。

このような技術を作った人は何を考えていたのだろうかと、思いを馳せます。普通に考えれば、すごく優秀な人が血のにじむような努力で専門的な研究を重ねて、ようやく奥義の域にたどり着いたのでしょう。

でも、実際のところは、そんな計画的な過程ではなかったのかもと想像します。

「あれ、できちゃった」、「あれ、意外と面白いかも」、こんなふうにひょうたんから駒が出るような感じで技術が生み出され、その新技術に群がった人の中からまた新しい「駒」を見つけた人が現れて、そんな繰り返しをしているうちに、気が付くと誰もが感動するような技術にまで育ったのかもしれません。

そういう意味では、**社会全体の変化も同じ**かもしれません。

誰かが考えた通りに計画的に社会が進化するのではなく、ビリヤードの球のように多数の人や企業があちらこちらでぶつかりながら、時々思いもよらない方向に大ジャンプするといった形で進化するのでしょう。

生成ＡＩは、ビリヤードの台自体を大きく揺さぶるような大きな力を持っています。これから、既存の社会の仕組みが揺れ動かされ、多くの企業とサービスがぶつかり合って切磋琢磨と自然淘汰を経て、新たなステージに到達するのでしょう。

私たちは、変化の激しい時代に生きています。
変化の激しい世界で楽しく生きるコツは、変化のきっかけを機敏に察知し、自らが率先して変化に適応していくことです。

ワクワクしながら、生成ＡＩの成長を見守っていきましょう。

２０２３年5月　白辺 陽

● 本書のサポートページ

https://isbn2.sbcr.jp/21216/

本書をお読みいただいたご感想を上記URLからお寄せください。
本書に関するサポート情報やお問い合わせ受付フォームも掲載しておりますので、あわせてご利用ください。

● 著者紹介

白辺 陽（しらべ よう）

新サービス探検家。

夏の雑草のように新サービスが登場するIT業界で仕事をしながら、将来性を感じるサービスについて調べてみたことを書籍としてまとめています。

新サービスの多くはユニークな技術を使った新しいコンセプトを持っていて、まだ日本語での参考資料が少ないものも多いのですが、自分自身が納得いくまで理解した上で、例示・図解・比喩を多用して読者の方に分かりやすく伝えることを信条としています。

未開拓の山に入り、藪をかき分けて道を作り、絶景が見られるポイントまでの地図をつくる。そんな仕事を続けていきたいと考えています。

生成AI（せいせいえーあい）
社会を激変させるAIの創造力（しゃかいをげきへんさせるえーあいのそうぞうりょく）

2023年 6月 8日　初版第1刷発行
2023年 8月 7日　初版第3刷発行

著　者　白辺 陽
発行者　小川 淳
発行所　SBクリエイティブ株式会社
〒106-0032 東京都港区六本木2-4-5
https://www.sbcr.jp/
印　刷　株式会社シナノ
カバーデザイン　秦 浩司
制　作　ダイヤモンド・グラフィック社

落丁本、乱丁本は小社営業部(03-5549-1201)にてお取り替えいたします。

定価はカバーに記載されております。

Printed in Japan　ISBN978-4-8156-2121-6